D0532608

L'ÎLE DES BAHALIM

DANIEL PIRET

L'ÎLE DES BAHALIM

COLLECTION « ANTICIPATION »

ÉDITIONS FLEUVE NOIR
69, bd Saint Marcel - PARIS XIIIe

ISBN : 2-265-00476-6

PROLOGUE

Le monde entier suivait avec passion la tentative d'un jeune Français de 30 ans. En ce siècle de vitesse et de technique ou bien peu d'initiative était laissée à l'homme, il tentait de réaliser un exploit qui ferait date dans l'histoire de la navigation.

Parti de Dieppe, il essayait de joindre Valparaiso en solitaire et ce dans les délais les plus brefs sur un voilier, le Poséidonis, sans le secours du moindre moteur.

Et l'exploit était sur le point de réussir. Le Français n'était plus qu'à peu de distance de son but, presque en face de Buenos Aires. L'enthousiasme était à son comble et l'événement occupait la une de tous les journaux, éclipsant pour un temps guerres, révolutions, famines et luttes idéologiques.

Bien que l'arrivée fût encore relativement lointaine, Valparaiso commençait à pavoiser, l'ambassadeur de France préparait sa réception et fébrilement les grands périodiques faisaient monter les enchères pour s'assurer l'exclusivité du récit du navigateur solitaire. Jacques Dol signalait régulièrement sa position par radio.

Le 14 mars 1976 il se trouvait à environ huit cents kilomètres de Buenos Aires. Les radios de Rio de Janeiro, de Brasilia et même de Santa Rosa reçurent son dernier message à 11 h 45... Un radio amateur de Bahia Blanca dit en avoir capté un autre vers 12 h 10... puis, plus rien !

La journée du 15 mars s'écoula sans nouvelles du jeune navigateur. Tout d'abord l'on pensa à une panne d'émetteur et on ne s'inquiéta pas outre mesure mais, les heures passant, l'angoisse gagna le monde. Le 16 mars, les autorités brésiliennes décidèrent de l'envoi d'un avion, de leur côté l'Uruguay et la République Argentine affrétèrent deux escorteurs... et les recherches commencèrent...

Elles durèrent dix jours. Les navires pas plus que les avions, ne retrouvèrent rien... pas un débris, pas une épave, pas une bouée... rien !

Le 26 mars, il fallut bien se rendre à l'évidence : le Poséidonis avait disparu totalement, effacé, gommé, absorbé !

***

Un radio amateur de Livramento au nord de Montevideo raconta dans les bureaux du correspondant du Times combien la voix de Jacques Dol était hachée.

— Il avait l'air littéralement affolé, précisa-t-il.

— Qu'a-t-il dit exactement ?

— C'est difficile à dire, de nombreux parasites couvraient sa voix. J'ai capté le message alors que j'étais en communication avec un autre radio amateur de Cordoba. J'ai immédiatement prévenu mon correspondant que j'interrompais l'émission... Comme je vous le disais, la réception était très mauvaise, mais j'ai cependant très nettement entendu : « flèche d'acier... masse d'eau blanche... suis complètement égaré » ... puis, plus rien.

— Avez-vous réussi à localiser le message ?

— Très vaguement. Ce que tout le monde sait déjà. Le Poséidonis devait se trouver à quelque 800 km des côtes brésiliennes.

— Avez-vous un avis sur la question ?

— Bien sûr ! Comme tout le monde. Du moins tous ceux qui s'intéressent aux mêmes questions.

— Lesquelles ?

— Personne, hormis les « rationalistes » invétérés ne peut nier qu'il existe sur notre planète, des zones mystérieuses, des endroits où il se passe d'étranges choses... des choses inexplicables... des disparitions par exemple. La liste serait longue et fastidieuse à énumérer, je vous en ferai grâce...

— Et vous croyez qu'il existe une de ces zones là où le Poséidonis a disparu ?

— Pourquoi pas ! Nous sommes bien loin de

les avoir toutes répertoriées. A notre époque de technique, en notre siècle de conquête spatiale, nous connaîtrons bientôt mieux notre satellite que nous ne connaissons notre propre planète... L'Amazonie par exemple. Quand on pense que les 7/10e du globe sont recouverts par les mers, on se rend compte de ce qu'il nous reste à découvrir... Je ne crois rien, je ne cherche pas à expliquer. Comme beaucoup d'autres je constate, c'est tout !

— Vous constatez quoi au juste ? insista le journaliste.

— Allons, ne feignez pas de ne pas être au courant ! On parle de ces lieux maudits depuis Christophe Colomb et même avant. Lui et ses hommes virent « une boule de feu incroyable » tomber dans la mer et ils furent terrifiés quand ils virent la boussole du navire s'affoler. Les disparitions mystérieuses en mer se comptent par centaines.

— Et vous pensez sérieusement que le Poséidonis lui aussi...

— Tout porte à le croire ! (Le radio amateur hésita une seconde, puis poursuivit :) Dès que l'on quitte les explications rationalistes, on passe pour un attardé mental, un utopiste ou tout bonnement pour un fou. Force nous est cependant de constater. Einstein était loin d'être un plaisantin, or il a émis quelques idées sur les O.V.N.I. mais également sur la fameuse 4e dimension. Il existe peut-être des interférences, soit du temps soit d'un univers différent.

— Ne pensez-vous pas que nous nous égarons ?

— Si vous voulez ! Alors, soyons beaucoup plus terre à terre si j'ose dire. Ivan Sanderson, scientifique très connu, non suspect de légèreté en était arrivé à la conclusion que des civilisations supérieures existaient au fond des mers.

— Et ce serait elles qui s'empareraient des navires, des avions ?

— Pourquoi pas ?

— Ainsi, si je vous suis bien, vous pensez que l'on ne retrouvera jamais ni le Poséidonis, ni Jacques Dol !

— Je souhaite de tout cœur qu'ils soient retrouvés, mais je vous avoue que je crains bien qu'ils n'aient disparu à tout jamais.

***

L'interview fit grand bruit. De par le monde on se passionna à nouveau pour les lieux maudits. Toute une littérature se mit à fleurir. Les langues et les esprits allèrent bon train... et le temps passa.

Deux mois plus tard, bien rares étaient ceux qui s'intéressaient encore au sort de Jacques Dol. La situation internationale n'en laissait pas le temps.

CHAPITRE PREMIER

Jacques était heureux... et il y avait de quoi. L'impossible pari était sur le point de réussir, il n'était plus très loin du but. La traversée se serait déroulée sans incident notable... enfin presque. Jacques n'oublierait pas de sitôt sa rencontre avec un monstrueux requin baleine et la tempête essuyée en plein océan.

Oui, il était épuisé, épuisé mais heureux. Ce voyage concrétisait tous ses rêves de jeunesse. On était le 14 mars, 11 h 45. Jacques reposa le micro. La brise était bonne, encore quelques jours il toucherait au but. Il s'allongea à même le sol. Il pouvait s'accorder quelques minutes de repos bien méritées. Il savait que le plus difficile restait à faire. Longer les côtes de l'Uruguay, de l'Argentine, là, pas de problème, du moins en principe. Là où les choses se corseraient c'est lorsqu'il atteindrait le détroit de Magellan. Il appréhendait les tempêtes soudaines, terreurs des anciens cap-horniers. Jusqu'à maintenant sa bonne étoile l'avait protégé... Aucune raison pour que cela ne continue pas !

Après, il espérait que les vents lui seraient favorables et le pousseraient gentiment jusqu'à Valparaiso. Les yeux mi-clos il contemplait le ciel limpide. Il venait de passer le tropique du Capricorne. Il aurait voulu que ces quelques minutes durassent une éternité. La mer était calme, d'un bleu si profond qu'il était irréel et puis, cela était arrivé d'un seul coup...

Le Poséidonis s'était mis à frémir. Un sifflement strident lui avait déchiré les tympans. Jacques s'était levé d'un bond. C'est alors que, n'en croyant pas ses yeux, il l'avait vue... droit devant lui, à une centaine de mètres... une longue flèche brillante jaillissant hors des flots et fonçant vers le ciel. Il n'eut pas le temps de se poser de question.

Le navire s'était mis à tourner sur lui-même et bien que le vent fût totalement tombé, il se créait tout autour de lui un monstrueux amoncellement de vagues et de gigantesques tourbillons apparaissaient. Transbahuté en tous sens, le jeune homme parvint aux prix d'efforts inouïs à rejoindre la cabine de pilotage. Il constata bien vite que tous les instruments de bord étaient déréglés et qu'il lui était impossible de se repérer. L'horizon était déformé par une sorte de vibration continue dont il ne parvenait pas à s'expliquer l'origine.

De vieilles légendes lui revinrent à l'esprit : vaisseaux fantômes, puissances maléfiques. Jacques n'était ni un poltron, ni une « petite nature » loin de là et l'aventure dans laquelle il s'était jeté le prouvait bien, mais tout à coup, il eut peur, une peur panique, une de ces peurs contre laquelle la raison ne peut rien. Cette flèche brillante qu'il avait aperçue. Qu'était-elle ? Il savait qu'il n'y avait aucune base navale dans les parages, qu'aucune grande manœuvre qu'aucun essai militaire n'avait lieu. Cette étrange tempête silencieuse, ce soudain dérèglement des appareils, étaient inexplicables.

Par réflexe il consulta sa montre, il était 12 h 10. Il se précipita vers l'émetteur, brancha en toutes fréquences et hurla, il hurla sa peur, sans savoir si personne le recevrait :

— Je viens d'apercevoir une flèche d'acier émerger des eaux, comme si elle provenait du fond de l'océan, je suis entouré de tourbillons, des vagues énormes déferlent sur le pont... L'eau est toute blanche, je suis complètement égaré...

Il savait fort bien que s'il demandait des secours, que si quelqu'un d'autre que lui posait le pied sur le Poséidonis, sa tentative ne serait pas homologuée, mais la peur le tenaillait. Il se sentait seul « Quelque chose » qu'il ne s'expliquait pas le menaçait ; alors, comme tous ses semblables, comme tous les hommes devant un danger, il avait besoin des autres... Il lança un S.O.S.

A ce moment précis, il se rendit compte que l'émetteur était en panne. Il n'était même pas certain que le début de son message ait été capté.

Jacques n'était pas outrancièrement pratiquant mais comme beaucoup il croyait à « quelque chose » ou à « quelqu'un », une prière informulée monta à ses lèvres...

Il lui était impossible de remonter sur le pont. Les voiles déchirées battaient au vent et les haubans s'en allaient en tous sens. Précipité au sol Jacques se couvrit la tête de ses mains tandis que les instruments, les livres, tout ce qui se trouvait dans la cabine volait autour de lui. Il attendit. Que pouvait-il faire d'autre ?

On aurait dit qu'Eole, l'antique Dieu des Vents se déchaînait. Tout autour du Poséidonis la mer parut se retirer. Pendant quelques instants, elle devint d'huile et Jacques aurait pu se croire l'objet d'un mauvais rêve. Hélas non, il ne rêvait pas. Il vivait un cauchemar. L'océan se mit à se boursoufler, à trembler comme un énorme volcan liquide. Il y eut des éclatements, d'énormes failles apparurent sitôt comblées par les masses liquides. Un vent d'une violence inouïe se leva tout à coup. Le Poséidonis roulait, tanguait comme un bouchon.

L'océan se transformait en une horde d'animaux monstrueux ou de démons mythiques hurlants et grimaçants dont les atroces masques semblaient vouloir dévorer celui qui osait défier le grand dieu des mers (1), celui qui avait osé donner son nom à un bateau.

L'eau que rien, ni personne ne peut arrêter,

(1) Poséidon, frère de Zeus, dieu de la mer.

l'eau éternelle, premier géniteur, semblait vouloir reprendre cette vie qui sans elle n'aurait jamais existé. Jacques n'était plus un homme. Oh ! qu'il était loin, ce maître de la nature. A quoi lui servait son intelligence en ces moments. Il n'était plus qu'un animal tremblant de peur, une chose sans conscience, désespérément faible, désespérément seul. Il ne savait plus qu'une chose : hurler de terreur !

Il s'écoula un temps qu'il lui fut impossible de déterminer, sans doute plusieurs heures, puis il lui sembla que la tempête se calmait un peu ; moitié debout, moitié rampant il parvint à se dégager de l'amoncellement de débris et à gagner le pont. Les dégâts étaient considérables, le Poséidonis n'était plus qu'une épave impossible à gouverner. Jamais Jacques ne pourrait rejoindre la côte par ses propres moyens. Il n'avait plus qu'un espoir : que son message ait été entendu. Les deux grands mâts avaient été sectionnés net presque à la base. Le garde-fou du bastingage arraché sur toute la longueur du bâtiment battait les flancs du navire.

Jacques n'arrivait pas à comprendre. Rien n'expliquait cette soudaine tempête. Elle parut à nouveau se calmer, puis brusquement elle reprit de plus belle, des vagues énormes secouèrent le navire, du moins ce qu'il en restait. Le Poséidonis avait coûté à Jacques des années d'efforts, il avait travaillé jour et nuit pour pouvoir se l'offrir. Il s'était endetté pour une vie entière. Le seul moyen pour lui de « s'en sortir » était de réussir. Déjà de nombreux éditeurs s'étaient proposés pour publier son récit, des périodiques, des magazines se préparaient à s'approprier l'exclusivité de ses mémoires... Tous ses espoirs l'abandonnaient et seul l'ancestral instinct de la conservation le força à résister aux monstrueux assauts. Grelottant de peur et de froid, Jacques voyait les titanesques vagues se ruer à l'assaut du frêle esquif, le heurtant de plein fouet ainsi que des béliers. La tempête redoubla soudain de fureur et Jacques crut sa dernière heure venue, un débris métallique lui ouvrit le front. La douleur lui fit lâcher prise et dans un hurlement de terreur, il fut projeté par-dessus bord.

Le gilet de sauvetage qu'il ne quittait jamais depuis son départ le soutint quelques instants à la surface. Jacques faisait des efforts démesurés pour se maintenir. Il ouvrit la bouche pour crier, l'eau s'y engouffra, noyant ses bronches. Toussant, crachant, les yeux brûlés par le sel, il ne parvenait pas à reprendre souffle. Un voile rouge passa devant ses yeux. Une vague encore plus forte que les autres le roula comme un fétu de paille. Il tenta désespérément de s'accrocher à une épave... en vain, elle lui échappa. Il lutta longtemps, il était incapable de discipliner ses mouvements, l'eau qui lui pénétrait par le nez, par la bouche et, comble de malheur, son gilet de sauvetage se détacha.

Il eut un dernier regard vers le ciel, en une

seconde il revécut toute son existence. Il vit les visages de sa mère et de son père qu'il ne reverrait jamais plus. Il se débattit encore un moment puis il lui sembla que son corps était de plomb et poussant un dernier cri il coula à pic.

Il ne souffrait pas. Son front ne lui faisait plus mal. En un éclair, il pensa que si c'était cela mourir, ce n'était pas si terrible qu'il se l'était imaginé. Dans un brouillard il lui sembla apercevoir quelque chose qui nageait vers lui. Il sentit vaguement qu'on le saisissait par une cheville, qu'on posait quelque chose sur sa tête... Puis ce fut le trou noir. Il sombra dans l'inconscience... avant, quelques infimes instants, il avait cru voir un visage... un visage de femme.

Il se sentit soulevé, porté. Mais tout cela pour lui n'avait aucune réalité... ne pouvait pas en avoir puisqu'il allait mourir... On le posait sur quelque chose, quelque chose de froid. On lui enlevait ses vêtements. Il y eut ensuite comme un bruit de moteur, puis plus rien.

***

Lorsque Jacques ouvrit les yeux, il était allongé sur un lit. Il se dressa sur son séant en poussant un cri. Brusquement tout lui revenait en mémoire... Impossible, il ne pouvait pas encore être en vie, c'est cela, il était mort... mais s'il était mort alors où se trouvait-il... aux lymbes, au Schéol ?... Toutes ses vieilles conceptions religieuses de l'au-delà lui revenaient à l'esprit. Etait-il possible qu'il existat un autre monde, presque semblable à celui qu'il venait de quitter ?

Il se pinça si violemment qu'il poussa un cri de douleur... Non, il n'était pas mort !... Il massa longuement son bras endolori et entreprit de mieux regarder les lieux où il se trouvait.

C'était une petite pièce aux murs de pierre comme on devait en construire au temps jadis. Juste en face du lit une fenêtre à demi entrouverte, par laquelle pénétraient les rayons du soleil. Le jeune homme toussa violemment et rejeta de l'eau. Il essaya de réfléchir... Comment pouvait-il être vivant ?... maintenant tout était clair... Il se revoyait sur le Poséidonis, la tempête, sa blessure, sa chute dans la mer... sa noyade... enfin sa presque noyade... Mais où pouvait-il bien être à présent ? Il n'y avait aucune île dans un rayon de plusieurs kilomètres là où il avait envoyé son dernier message. Alors ?

Il essaya de se lever, mais la tête lui tournait et il dut y renoncer. Il se laissa aller en arrière et tenta de se détendre, de se « remettre les idées en place ». Il n'entendit pas la porte s'ouvrir et eut un sursaut lorsqu'il découvrit un homme et une femme au pied de son lit, qui le contemplaient. C'est alors qu'il s'aperçut qu'il était entièrement nu et que vivement en un réflexe de pudeur, il rabattit les draps sur lui.

— Qui êtes-vous et comment suis-je ici ? demanda-t-il.

— Nous sommes ravis de voir que tu vas mieux, répondit l'homme dans un français parfait. Je suis le chef de ce village et je me nomme Kol et voici ma femme Icha... nous t'avons trouvé sur la plage à demi mort...

— Où suis-je ?

L'homme parut surpris, hésita un moment, eut un sourire puis poursuivit :

— Tu es à Edena !

Jacques fronça les sourcils. Edena ? Ce nom n'évoquait rien pour lui. Il ne connaissait aucune ville de ce nom au Brésil. De toute façon il ne pouvait être au Brésil, le Poséidonis avait sombré trop loin de ses côtes... Une île peut-être ? Il avait étudié la carte marine de cette région durant des mois, à sa souvenance il n'existait aucune île de ce nom. Il était passé au large de Trinidad depuis longtemps et il devait être à plus de 2 000 kilomètres des îles britanniques de la Géorgie du Sud et à 3 000 des îles Sandwich. Aurait-il abordé une île non encore répertoriée ? Cela semblait impossible... Et pourtant !

— J'étais à environ 800 kilomètres des côtes sud-américaines lorsque cette inexplicable tempête a eu lieu. Avez-vous réussi à capter des messages de Buenos Aires, de Montevideo ou de Porto Alegre ; ou à les prévenir ?

— Je ne comprends rien à ce que tu veux dire... nous ne connaissons pas de côtes sud-américaines... Que veux-tu dire avec Buenos Aires, de quels messages veux-tu parler ?

Jacques se passa la main sur le front. Cet homme devait être fou... Ne pas connaître Buenos Aires, Porto Alegre à la rigueur, mais l'Amérique du Sud... tout de même, c'était inconcevable.

— Ne le fatiguons pas, intervint la femme. Il a besoin de se reposer.

— J'ai l'impression que c'est vous qui avez besoin de vous reposer, cria Jacques en s'asseyant sur le rebord du lit. Je veux bien que vous soyez isolés, que pour des raisons qui vous sont propres, vous niiez la civilisation, mais vous ne pouvez ignorer l'existence de l'Amérique. Un message ! Vous savez ce que c'est qu'un message ! un message radio... Oui ?

— Bien sûr, bien sûr, nous savons, dit la femme, mais l'aspect de son visage démentait ses paroles ; visiblement elle cherchait à le calmer. Tenez, buvez cela !

Elle tendit au jeune homme un bol contenant un breuvage fumant. Tout d'abord Jacques eut envie de jeter loin de lui cette mixture, mais l'odeur était agréable, appétissante et il se rappela soudain qu'il n'avait pas mangé depuis longtemps. Il jeta néanmoins un regard soupçonneux sur la femme... On ne pouvait jamais savoir avec des fous ! Puis, il réfléchit. Si on avait voulu le tuer, pourquoi le repêcher ? C'étaient sûrement des fous mais pas dangereux. La femme l'encouragea d'un sourire.

— Buvez, cela vous fera du bien.

Jacques tendit la main, prit le bol et but

longuement. Un bien-être l'envahit. Il se sentit soudain plus calme. Tout allait s'expliquer. Il y avait sûrement un malentendu... On allait l'éclaircir.

Comme si elle avait lu dans ses pensées et prévenant sa demande, la femme se dirigea vers une armoire, l'ouvrit, en sortit une sorte de peplum semblable à celui que portait l'homme et le posa sur le lit, puis sans rien dire sortit de la pièce.

Jacques se leva et maladroitement entreprit de draper sur lui la grande pièce d'étoffe. Ce n'était guère facile et sans l'aide de Kol, il n'y serait jamais arrivé.

— Voilà qui est mieux, dit l'homme. Comment te sens-tu ?

— Un peu mieux, merci ; ce n'est pas encore la grande forme, mais ça ira.

Il s'assit posément sur le bord du lit et dévisagea Kol. C'était un homme dans la force de l'âge aux longs cheveux tombant sur les épaules et maintenus sur le front par un bandeau d'or. Il était grand, 1,80-85 m peut-être... athlétique, le visage ouvert, les yeux intelligents. Il souriait. Il n'avait pas l'air anormal. Peut-être Jacques s'était-il mal exprimé ? Il s'en voulut de son agressivité. Il se passa la main sur le front ; poussa un petit cri de douleur... sa blessure.

— Ne touche pas trop, dit Kol ; Icha t'a mis un onguent, dans quelques jours, il n'y paraîtra plus.

— Merci pour ce que vous avez fait pour moi.

— C'est naturel... mais puisque tu vas mieux maintenant peut-être pourras-tu nous expliquer ?

— Expliquer quoi ?

— Mais qui tu es ! Sans doute viens-tu de l'une des quatre îles, de laquelle ? De Rischona, de Schattaï, de Schalocha ou bien d'Arbah ?

— Je ne connais aucune île portant ce nom. Je viens de France à bord d'un voilier, le Poséidonis. Je tentais de joindre Valparaiso au Chili après avoir contourné le cap Horn par le détroit de Magellan. J'étais presque sur le point d'y arriver... lorsque cette maudite tempête m'a rejeté sur cette île.

Kol ne dit rien. Il parut réfléchir profondément, puis lentement il se dirigea vers la fenêtre qu'il ouvrit. Un flot de lumière inonda la pièce. Jacques se leva et s'approcha. Lorsque ses yeux se furent habitués à l'intense clarté, il faillit pousser un cri de surprise. Il croyait rêver... On était en plein XXe siècle et pourtant il se serait cru reporté à des centaines, peut-être à des milliers d'années en arrière. Devant lui s'étendait une petite ville, une cité à la fois grecque et romaine avec un mélange d'architecture asiatique...

La fenêtre s'ouvrait sur une petite place au centre de laquelle se trouvait une fontaine de pierre. Le motif central représentait un dauphin par la bouche duquel l'eau s'écoulait. Des femmes portant des amphores sur l'épaule l'entouraient en devisant. Des enfants se poursuivaient en riant.

En face de lui, un peu en contrebas, entre des maisons à deux ou trois étages, Jacques apercevait la campagne, des chemins sur lesquels déambulaient lentement des chariots tirés par des bœufs. Au loin des paysans étaient occupés au labourage.

Jacques, abasourdi reporta ses regards sur la place. Sur sa droite un petit temple surélevé, aux agréables colonnettes sculptées, vers lequel se dirigeait un cortège d'hommes aux peplums blancs, précédés d'une jeune femme couronnée de fleurs qui marchait au côté d'un bélier également blanc...

— C'est à devenir fou, balbutia Jacques. Qu'est-ce que c'est que cette comédie ? De qui vous moquez-vous ? Vous tournez un film ou quoi ?

— Calme-toi, étranger... je ne comprends pas ton désarroi... Si tu viens d'une des quatre îles, tu dois être habitué à pareil spectacle, tous les Benhasout vivent de la même manière... Sans doute ton séjour prolongé sous les eaux de la Grande Mer t'aura-t-il fait perdre la mémoire... Cela passera... tu verras... il faut que tu te reposes. Déjà des messages ont été envoyés, nous saurons bientôt d'où tu viens et tu retrouveras les tiens.

— Enfin puisque je te dis que je ne connais ni Edena ni les îles que tu m'as énumérées... Ecoute-moi... Je te l'ai dit je viens de France... De France, tu entends ?

Jacques comprit vite l'inutilité de ses efforts. Kol lui non plus ne comprenait pas. Il était sincère. Il n'avait jamais entendu parler de la France, ni de l'Amérique. Alors où Jacques pouvait-il bien se trouver ?

Soudain il eut une brusque inspiration... une idée folle plutôt... Le temps, le temps. Il avait remonté le temps ! Ce ne pouvait être que cela ! Il se souvenait avoir lu de nombreux ouvrages sur ce sujet. Il en avait ri ou bien s'était extasié sur la prodigieuse imagination de certains auteurs. Seuls des cerveaux comme ceux de Wells (1) ou de Bergier (2) pouvaient concevoir de telles situations... et pourtant si le Poséidonis avait accidentellement franchi l'une de ces portes qui donnent accès sur un autre monde, un monde différent, s'il était passé dans la 4e dimension dont on parlait tant ? Kol était sincère, Jacques n'en doutait plus maintenant. Ce ne pouvait être que cela, la 4e dimension existait bien ! Mais alors il ne retrouverait jamais son époque, il ne reverrait jamais plus ceux qui lui étaient chers. Il eut comme un éblouissement et vacilla sur ses jambes, il ne dut qu'au soutien de Kol de ne point tomber...

Il y avait pourtant une autre explication mais Jacques ne la connaîtrait que plus tard... bien plus tard.

(1) *La machine à explorer le temps.*
(2) *Les maîtres secrets du temps.*

CHAPITRE II

Trop d'idées, d'hypothèses aussi absurdes les unes que les autres assaillaient Jacques, il s'efforça de se calmer puis prit le parti d'attendre et d'essayer de comprendre. Toute chose, tout événement a une explication et la situation présente en avait sûrement une.

A plusieurs reprises il tenta de « sonder » Kol. Aussi incroyable que cela puisse paraître il ignorait tout du monde dans lequel Jacques vivait. Les Benhasout existaient dans un monde à part. Un univers qui ressemblait à celui de la Terre mais qui ne l'était pas.

La population d'Edena l'avait accueilli avec surprise certes mais avec gentillesse et courtoisie. L'hospitalité semblait être l'un des piliers de cette étrange société.

Il y avait un soleil, mais un soleil étrange qui semblait se déplacer par à-coups. Le ciel était toujours uniformément bleu et le soir lorsque la nuit tombait aucune étoile n'apparaissait.

Sur la terre elle-même il y avait beaucoup de

choses étranges... Les plantes d'abord... On aurait dit des algues. Ce que de loin on aurait pu prendre pour des bosquets n'étaient en réalité que d'énormes touffes d'algues gigantesques disposées dans des vasques creusées à même le sol. Il y avait pourtant, Jacques le constata par la suite, quelques arbres « normaux » mais fort peu.

A part quelques lézards ressemblant à des iguanes à l'aspect peu engageant avec qui pourtant les enfants jouaient comme avec des chiens, la faune était semblable à celle que Jacques connaissait.

Il se remit très vite. L'onguent d'Icha avait fait merveille et quelques jours plus tard la plaie de son front était totalement cicatrisée, un mince filet rouge était tout ce qu'il en restait. Il s'était contenté de reprendre des forces ; à présent il ne pensait qu'à une chose : quitter ces lieux. Les explications qu'il s'était fournies à lui-même ne le satisfaisaient plus. Il ne pouvait avoir quitté la Terre. Jacques était bien trop rationaliste pour admettre la réalité de la 4ᵉ dimension. Il se persuadait de plus en plus qu'on lui jouait une vaste comédie... Pourtant quel intérêt pouvaient y avoir les êtres qui l'entouraient, ils paraissaient bien trop simples pour envisager et surtout pour mettre au point un plan aussi machiavélique.

Il pensait souvent à ce qui était arrivé : il revivait ces événements, une chose lui revenait sans cesse à l'esprit : sa chute dans la mer démontée, cette sensation de présence et ce visage de femme entr'aperçu alors qu'il croyait sa dernière heure venue... un visage d'une finesse, d'une pureté inégalables.

Kol vint le rejoindre alors qu'assis à côté de la fontaine de pierre, les yeux dans le vague, il réfléchissait. Le son de sa voix le fit sursauter. Le visage de Kol était grave, préoccupé.

— L'un de nos messagers vient de rentrer...

— Alors ?

— Nous l'avons envoyé à nos frères de Rischoua...

— ... Et il t'a dit, comme je l'ai fait moi-même que je ne suis pas originaire de cette île... Pourquoi ne veux-tu pas me croire, Kol... Je t'ai dit la vérité... je viens d'un monde qui s'appelle la Terre...

— Jamais aucun de nous n'a entendu parler d'une telle chose...

— Le monde d'où je viens a un soleil comme le vôtre, mais lorsque la nuit tombe, un autre astre brille dans le ciel, nous l'appelons la Lune et il y a aussi des millions d'étoiles. Notre planète est la 3e de notre système solaire, lui-même perdu dans la galaxie qui est un amas de milliards de soleils et de milliards de planètes et il existe un milliard de galaxies...

— Je ne comprends pas un traître mot à ce que tu nous racontes. Il n'y a qu'un seul monde... le nôtre, nous l'appelons Tatimie, Edena est le plus grand continent, les autres ne sont que des îles ; il n'y en a que quatre... plus bien sûr Sod.

— Qu'est-ce que Sod ?

Kol baissa la tête, parut gêné, il regarda longuement autour de lui puis poursuivit d'un ton plus bas :

— C'est une île... du moins nous croyons que c'en est une... car nul ne peut approcher ; c'est là que résident les Bahalim.

— Sois plus clair je ne comprends rien à ce que tu me racontes.

— Les Bahalim sont des êtres invisibles qui gouvernent notre monde pour le bien de tous.

— Comment pouvez-vous le savoir puisque vous ne les avez jamais vus ?

— Nous ne les voyons pas certes, mais nous savons qu'ils existent, nous entendons leurs voix dans notre temple et chaque année nous leur apportons notre tribut en échange duquel ils nous remettent les instruments avec lesquels nous cultivons...

— Pourquoi, vous ne savez pas les fabriquer vous-mêmes ?

Kol parut horrifié de la réflexion de Jacques :

— Nul ne peut toucher au métal, il est source de violence et de mal ; rien ne nous est interdit sauf cela.

— C'est ridicule, sans la maîtrise du métal votre civilisation ne pourra jamais avancer...

— Que veux-tu dire ? N'avons-nous pas tout ce que nous désirons ? Nous ne désirons rien d'autre, nos femmes sont belles, nos enfants forts, nous vivons heureux et longtemps.

— Mais avec le métal on peut faire des voitures, des avions... je... je sais quoi... des armes. Avec quoi vous défendez-vous lorsque l'on vous attaque ?...

— Attaque... qu'est-ce que cela veut dire ?

— Ne me dis pas que vous ne connaissez pas la guerre ?

Pourtant si, aussi incroyable que cela puisse paraître, Kol et ses semblables ignoraient la guerre, le mot même n'existait pas dans leur vocabulaire... Et en fait cela se comprenait. Jacques eut beaucoup de mal à l'admettre mais c'était vrai. Ces hommes avaient tout ce qu'ils désiraient, ils ignoraient totalement l'envie et étaient totalement dépourvus d'ambition et chose incroyable l'argent n'existait pas sur ce monde. Or chacun sait que l'envie, l'ambition, l'argent et le profit sont les nourrices de la guerre.

— Mais alors que faites-vous ? Comment se déroule votre vie ?

Kol éclata franchement de rire.

— Les jours ne sont pas assez longs pour toutes nos occupations. Nous sommes occupés aux travaux des champs, nos femmes tissent la laine de nos moutons, beaucoup d'entre nous sculptent la pierre ou le bois, nous dessinons, nous peignons... nous nous essayons aussi parfois à la poésie... et puis il y a aussi les cérémonies...

— Quelles cérémonies ?

— Celles qui se déroulent dans le temple...

— Vous pratiquez une religion ?

— Je ne sais ce que tu nommes religion, si par là tu entends croire à quelque chose ou en quelqu'un alors oui, nous avons une religion... nous croyons qu'un Etre suprême a un jour, il y a très très longtemps, créé Tatimie pour que nous y vivions et qu'un jour lorsque notre corps sera mort, notre double intérieur rejoindra la grande force dont il est issu...

— Et vous avez ou avez eu des prophètes, des prêtres ?

— Ni l'un ni l'autre, Ami. Où vas-tu chercher des idées si ridicules ? En Tatimie tous les hommes sont prêtres, nous n'avons jamais eu ni n'aurons jamais besoin de prophètes, nous suivons l'enseignement des maîtres selon notre conscience, nous ne nous posons pas de questions.

— Peut-être est-ce là en effet le secret du bonheur, ne put s'empêcher de murmurer Jacques, mais sa curiosité était loin d'être satisfaite, il enchaîna :

— Explique-moi, Kol, j'aimerais tellement comprendre.

— C'est bien simple... Comme je te l'ai dit, Tatimie, notre monde, est une immense plaque entourée par le dôme qui constitue la voûte du ciel, dans lequel se trouve notre soleil. Il tourne autour de nous, se levant le matin et se couchant le soir.

— Mais vous n'avez jamais cherché à vous évader de cet univers, d'aller voir ailleurs ?

— Pour quoi faire ?... Il y a dans le temps... il y

a très longtemps, des hommes qui ont été aux confins de Tatimie, ils ont raconté qu'ils avaient touché de leurs mains le dôme, là où il rejoint le sol.

— Mais ce dôme, ainsi que tu le nommes, ce dôme qui recouvre votre monde, quelqu'un l'a fait...

— Bien sûr... c'est celui que nous appelons notre Dieu...

— Derrière, il doit bien y avoir quelque chose ?

— Là commence le Grand Infini... il n'y a rien. Pourtant — Kol parut réfléchir profondément — certains de ceux qui ont été jusqu'aux confins du monde dirent qu'ils avaient aperçu quelque chose.

— Quoi donc ?

— C'est tellement impensable, tellement...

— Dis toujours.

— Des sortes d'ombres... comme de gigantesques poissons, et par moments, des lueurs, l'infini leur semblait mouvant, comme une mer, comme des vagues...

Jacques réfléchissait profondément, il venait soudain de penser à quelque chose, mais cela était tellement ridicule qu'il chassa cette idée loin de lui. Imaginons une... mais non... impossible. Qui aurait pu concevoir et surtout réaliser une pareille construction... un dôme qui protégerait tout un continent, tout un monde... mais qui le protégerait de quoi et pour quoi faire ?...

— Pour la plupart ils étaient dans un état

d'épuisement total et personne n'a attaché d'importance à leurs divagations, continua Kol.

— Et si ce n'étaient pas des divagations... si il y avait vraiment quelque chose d'autre derrière ?

— Que pouvait-il bien y avoir ? dit Kol pensif.

— Le monde d'où je viens par exemple, car tu le sais bien à présent et tes émissaires te le confirmeront, je n'appartiens ni à Tatimie ni à Edena, ni à aucune des quatre îles, tu seras bien forcé d'admettre l'existence de quelque chose d'autre... Quelque chose dont « on » vous tient écartés.

— En admettant même, s'écria Kol en se levant brusquement. Si les Bahalim nous en tiennent écartés, c'est qu'ils ont leurs raisons. A quoi cela sert-il de toujours vouloir savoir, de tout vouloir comprendre ? Quel être bizarre tu fais... Nous sommes heureux, que nous faut-il de plus ?

— A toi peut-être, Kol, mais moi je ne me contenterai pas de tes explications, je veux retourner d'où je viens, tout ici m'est étranger, votre façon de vivre, votre nature, vos croyances, votre docilité, voire votre sensibilité. Sur le monde d'où je viens, certes tout est différent, on lutte, on se bat, on se défend, c'est certainement un monde cruel, incompréhensible, inhumain... mais c'est le mien, tu entends et je veux le revoir.

Un jeune homme qui se dirigeait vers eux interrompit leur conversation. Il s'arrêta devant Kol et étendit le bras droit en guise de salut :

— Parle, Alfrior, qu'y a-t-il ?

— Les émissaires sont de retour, Maître, ils désirent te voir.

— Qu'ils viennent.

— C'est que...

— Quoi ? Ils peuvent parler en présence de notre ami. J'ai appris beaucoup de choses en sa compagnie et je me doute déjà de ce qu'ils ont à me dire. Va les chercher.

Le jeune homme s'éloigna et quelques minutes plus tard trois hommes firent irruption sur la place. Ainsi que Jacques le lui avait dit ils confirmèrent à Kol que l'Inconnu n'était originaire ni de Schattaï, ni de Schalocha, ni d'Arbah pas plus qu'il ne l'était de Rischona. Ce qu'il disait était-il la vérité ?... Existerait-il un autre monde ailleurs, dont l'accès serait interdit aux Benhasout ?

Il y avait maintenant plus de huit « jours » que Jacques demeurait au milieu des Benhasout. Kol n'avait pas encore communiqué le résultat des recherches des émissaires aux habitants d'Edena. Il avait recommandé aux quatre hommes, le silence le plus total... mais il faudrait bien qu'ils parlent un jour. Les langues commençaient à aller bon train : l'accoutrement que l'on avait découvert épars sur la plage, cet étrange instrument muni d'aiguilles qu'il portait au poignet gauche, tout cela excitait la curiosité...

Que devait faire Kol ? Réunir le conseil ? Interroger la voix des Bahalim ? Quelque chose l'en empêchait... une amitié s'était nouée entre Jacques et lui, et puis ce qu'il racontait était tellement étrange que Kol ne se lassait pas de l'entendre... Bien sûr il ne croyait pas tout ce qu'il disait car une bonne part semblait sortir de son imagination débordante, mais beaucoup de choses le troublaient.

Selon lui, sur le monde dont il disait venir, les hommes se battaient pour la possession de morceaux de papier qu'ils nommaient « argent » ou billets de banque, il y aurait eu des milliards d'hommes dont beaucoup mouraient de faim... Comment pouvait-on mourir de faim ?... D'autres travaillaient dans des « usines » pour un « salaire » misérable alors que d'autres comme Jacques risquaient leur vie en des paris stupides. Il y aurait eu des engins qui volaient dans les cieux, d'autres qui roulaient sur des routes, d'autres encore qui voguaient sous les eaux comme des poissons.

Quelquefois un rire lui échappait, vite réfréné par l'attitude sereine et sérieuse de Jacques. Kol n'arrivait pas à s'imaginer les étoiles. Bien sûr Jacques lui avait expliqué qu'elles ressemblaient à des points brillants... Pour Kol, cela ne faisait point de doute, s'il existait un autre monde, il était lui aussi protégé par un dôme illuminé dans la journée par un soleil, ce dôme devait être percé de milliers de petits trous par lesquels la nuit venue, filtrait la lumière du soleil ; il était inconcevable qu'il en fût autrement, les anciens l'auraient su, la voix l'aurait dit.

— Kol, tu me parles souvent des Bahalim, qui sont-ils ?

— Nul ne sait au juste, comme je te l'ai déjà dit... Certains d'entre nous pensent qu'ils sont les intermédiaires entre la Grande Force créatrice de Tatimie et nous...

— Des esprits, en quelque sorte ?

— Si tu veux.

— Si c'étaient des esprits, qu'auraient-ils à faire de vos offrandes, car si j'ai bien compris vous leur donnez une partie de vos récoltes ; cela prouverait qu'ils ont besoin de manger...

— Peut-être les esprits ont-ils eux aussi besoin de manger. Nous ne nous sommes jamais posé la question, fit Kol, visiblement désorienté. Nous posons bien des fleurs sur les tombes de nos morts pourtant nous savons bien qu'ils ne peuvent pas les sentir.

— Oui c'est une coutume qui existe également sur le monde d'où je viens, mais les esprits ne parlent pas. Or, tu m'as dit que parfois la voix des Bahalim se faisait entendre dans vos temples.

— Oui... souvent... mais la plupart du temps elle ne fait que répondre aux questions que nous lui posons, nous l'interrogeons sur nos récoltes, sur les périodes les plus favorables pour la pêche, pour rendre la justice aussi, lorsque survient un litige, jamais grave d'ailleurs, simple querelle de pêcheurs ou de paysans...

— Ainsi la population d'Edena se divise en paysans et en pêcheurs ?

— Non, il y a toute une diversité d'activités, je te l'ai dit nous avons des poètes, des peintres, des sculpteurs.

— Comment gagnent-ils leur vie, puisqu'il n'y a pas d'argent, ce sont ce que l'on appelle chez moi des improductifs, des inutiles.

— Improductif celui qui rejoint l'âme ? Inutiles ceux qui restituent les beautés de la nature, ceux qui tirent des pierres les images et les motifs qui décorent nos maisons, nos places, nos temples ? Certes non, nous ne le voyons pas ainsi, bien au contraire. Ils sont nécessaires car nous pensons, vois-tu, que l'homme ne se nourrit pas que de pain, il faut aussi nourrir l'âme.

Kol avait raison et Jacques le savait bien malgré ses affirmations... La sagesse vraie se trouvait-elle dans ce monde où le destin l'avait jeté ? Il faut bien avouer que pour le moment il ne s'en souciait guère. Il ne s'intéressait que vaguement à ce qui l'entourait et puis même cette civilisation aurait-elle été la meilleure, il ne la sentait pas sienne. Il ne cherchait que l'occasion de s'en échapper. Tous les moyens, même les pires, s'il le fallait, lui semblaient bons.

Ces gens étaient sûrement des sages, des simples, ils ne possédaient pas cette rouerie sans laquelle « on arrivait à quelque chose ». Jacques était fermement décidé à exploiter cette candeur. Déjà il sentait Kol profondément ébranlé. Il devait accentuer son avantage et il allait s'y employer.

CHAPITRE III

Ce matin-là Kol avait accompagné Jacques dans la campagne. Les paysans bien que méfiants et interrogatifs commençaient à s'accoutumer à la présence du jeune homme. Beaucoup le saluaient au passage ou lui adressaient les sourires amicaux.

Il avait eu beaucoup de mal à s'habituer aux iguanes apprivoisés que les Benhasout appelaient Gouana ; l'un d'entre eux pourtant semblait s'être pris d'affection pour lui et ne le quittait pas d'une semelle. L'agilité de ces bêtes de cauchemar était stupéfiante et leur gentillesse contrastait avec leur aspect peu engageant. Jacques avait fini par trouver presque agréable le contact de cette peau écailleuse et il lisait dans les yeux du monstre toute la tendresse du monde.

Il l'avait appelé Bob, peut-être parce qu'avec ses gros yeux globuleux il ressemblait vaguement à l'un de ses professeurs de maths du temps où il était en pension à Melun.

Ils avaient marché longtemps. Les cultures paraissaient être les mêmes que sur la Terre, à cette différence près que les épis de blé, de maïs lui semblaient beaucoup plus gros, et que de nombreuses « algues » poussaient dans les rizières. Jacques se souvenait que, bien sûr, les hommes du monde sur lequel il vivait consommaient aussi des algues, particulièrement les Japonais, mais il ne se rappelait pas en avoir vu cultiver.

Il y avait aussi des prés dans lesquels paissaient des troupeaux de moutons et de chèvres que de jeunes enfants ou des vieillards gardaient. Par moments Jacques pensait que peut-être il pourrait être heureux sur ce monde. Il aurait pu s'y installer, prendre épouse. Il n'avait pas été sans remarquer que plusieurs jeunes femmes du village avaient l'air de le trouver fort à leur goût, mais il chassait vite cette idée, non, ce monde n'était pas fait pour lui. Bien sûr il y avait la perte du Poseidonis, son échec qui ruinait sa carrière, mais tout de même il était jeune, l'avenir lui appartenait, il lutterait, il n'était pas dans sa nature d'accepter un destin quel qu'il fût et c'est en cela, pensait-il, qu'il se différenciait des Benhasout.

Jacques s'accouda à une petite barrière de bois et son regard erra jusqu'à l'horizon. Il apercevait la large tache bleuâtre étale de la mer qu'entourait Edena, puis ses yeux se levèrent vers le ciel. Il lui semblait étrangement bas... Il chercha un mot qui convînt : limité, c'était cela... limité... comme un décor de théâtre, une impression d'immensité, mais une « impression » seulement, comme une gigantesque construction en trompe-l'œil. Il secoua la tête et se mit à rire, une telle chose était impossible.

— Dis-moi, dit-il brusquement, en flattant le dos du Gouana qui ronronnait de plaisir. Parle-moi du lieu où résident les Bahalim, où se trouve-t-il ?

— Sod, nous n'avons pas à parler de ces choses...

— Et pourquoi avez-vous peur ? Ces Bahalim ne sont-ils pas bons ? Ne vous protègent-ils pas, ricana Jacques. Alors à quoi vous servent-ils ? N'êtes-vous point capables de vous diriger seuls ? Qu'avez-vous besoin d'eux pour cultiver, pour mener paître vos troupeaux ?

— Ne parle pas ainsi, Jacques, tu ne connais pas ce dont tu parles. Les Bahalim nous protègent, c'est vrai, et au besoin contre nous-mêmes. Ils possèdent la sagesse qui est étrangère à notre espèce. Ils savent guérir nos maladies, soigner nos blessés...

— Comment cela puisque vous ne les voyez jamais ?...

— Ils nous disent ce qu'il faut que nous fassions par l'intermédiaire de la voix, et même parfois...

— Quoi ?

— Ils nous ont adressé un messager.

— Une femme ! s'exclama Jacques.

— Comment le sais-tu ?

— Je... je ne sais pas... j'ai dit ça comme ça.

Jacques revoyait le visage de la femme. Pour lui maintenant cela ne faisait plus de doute, elle était réelle, il n'avait pas rêvé, il était persuadé qu'il la reverrait... C'était un de ces Bahalim, c'est elle qu'ils envoyaient lorsqu'ils en sentaient le besoin ou l'opportunité. A partir de ce moment, sans qu'il puisse s'expliquer pourquoi, il se sentit pris d'un brutal, d'un fougueux, d'un impérieux besoin de la revoir...

Il s'efforça de masquer son trouble et poursuivit :

— Tu ne m'as toujours pas répondu, Kol... Qu'est-ce que Sod et où se trouve cet endroit mystérieux ?

— Qu'as-tu besoin de savoir ces choses ? Même si je te les révèle, tu sauras que nul ne peut accéder à Sod.

— Comment cela ?

— Sod est une île, un infranchissable barrage en interdit l'accès.

— Un barrage ?... Et de quelle nature ? Nul barrage n'est infranchissable, tu le sais bien.

— Celui-là l'est, Jacques, crois-moi. Puisque tu veux savoir, alors écoute. Au nord de la 4e île se trouve une mer que nous nommons la mer des Ombres car elle est constamment couverte de brouillard. Des forces inconnues et invisibles repoussent les embarcations et quelques imprudents ou téméraires qui se sont approchés très près ont raconté avoir aperçu une île, plutôt une sorte de rocher abrupt aux reflets métalliques dont le sommet était constamment environné d'éclairs... D'énormes « poissons de métal » défendent l'accès de l'île.

— Mais alors comment faites-vous pour leur remettre les offrandes qu'ils vous demandent ?

— A certaines époques nous les apportons devant le temple. La prêtresse... j'emploie ce mot afin que tu comprennes, car en réalité nous n'avons pas de prêtres, puisque nous le sommes tous, mais certains d'entre nous, plus âgés et quelques jeunes vierges, se chargent plus spécialement des rapports entre la Divinité et nous et entre les Bahalim et nous... la prêtresse interroge la voix, elle nous indique alors où nous devons les déposer ; il y a trois ou quatre lieux, toujours les mêmes, c'est un de ces lieux qui est désigné. Nous y déposons les offrandes et les Bahalim viennent les chercher.

— Peux-tu me montrer l'un de ces lieux ?

— Pour quoi faire ? A quoi cela t'avancera-t-il ?

— Simple curiosité.

— Je ne sais si j'en ai le droit.

— Que veux-tu que je fasse ? Je n'ai point d'arme et même si j'en avais les Bahalim ne sont-ils point immortels ?... De plus, en ce moment ils ne vous ont rien réclamé, nous ne risquons donc point de les rencontrer.

— C'est vrai. Bien que ta curiosité m'inquiète quelque peu, je vais te montrer l'un de ces lieux. Sache cependant que nul ne peut se jouer des Bahalim et que si tu tentais quoi que ce soit contre eux, leur vengeance serait terrible et s'abattrait sur nous.

— Kol, tu es mon ami, je ne ferai rien qui puisse te nuire, tu le sais.

— Je te crois, Jacques, et bien que je sente que je commets une faute, je vais te montrer. Viens, suis-moi.

Les deux hommes se levèrent et, précédés du Gouana qui bondissait de joie à la perspective de cette nouvelle promenade, ils prirent la direction d'une petite montagne que l'on apercevait à environ 5 ou 6 kilomètres.

De nombreux troupeaux paissaient à flanc de coteaux et les bergers leur adressaient des signes amicaux. Au fur et à mesure qu'ils gravissaient la pente, le paysage se faisant plus désertique. Ils arrivèrent bientôt sur une petite place au centre de laquelle s'élevait un pilier sculpté comme un totem et couvert d'inscriptions dont Jacques ne comprenait pas le sens. Le pilier était surmonté d'une pierre taillée. Kol, interrogé, avoua que lui-même ignorait le sens des caractères. Il s'arrêta longuement devant le pilier, contempla le cristal, comme s'il eût attendu quelque chose, puis parut rassuré et, faisant signe à Jacques de le suivre, poursuivit son chemin...

Jacques ne posa pas de questions. Ils empruntèrent un chemin visiblement aménagé de main d'homme et parvinrent au sommet. Devant eux s'étendait un cratère d'une centaine de mètres de diamètre. Lorsque les yeux de Jacques se posèrent sur le fond, il réprima avec peine un cri de surprise : une large plaque métallique circulaire occupait le centre du cratère entouré de repères ; on aurait dit une piste d'atterrissage.

— Comment viennent-ils chercher leurs offrandes ? parvint-il péniblement à articuler...

— Nous ne le savons pas, nous les apportons ici, puis nous regagnons nos demeures et nous y enfermons. Les anciens disent qu'ils viennent dans de grands oiseaux de métal...

— Des avions.

— Que dis-tu ?

— Rien, continue, Kol.

— Mais nul d'entre nous ne les a jamais vus, nous avons entendu leurs cris, une sorte de long sifflement. C'est tout. Viens, maintenant, il n'est pas bon que nous restions longtemps ici.

Il se retourna brusquement et son regard se porta sur le pilier que l'on distinguait en contre-bas. Il pâlit atrocement. Jacques avait vu lui aussi le cristal, le cristal était illuminé et brillait de mille feux.

— Les Bahalim savent que nous sommes venus.

— C'est... c'est le cristal qui te l'indique ?

— Oui.

— Une cellule photo-électrique, dit Jacques à voix basse. Ces Bahalim doivent avoir atteint un niveau de civilisation comparable au nôtre, en tout cas bien supérieur à celui des Benhasout...

Kol, sans prêter attention au monologue de

Jacques, dévalait la pente comme si tous les démons de l'enfer eussent été à ses trousses. Il y avait beaucoup de choses bizarres sur ce monde, mais Jacques n'avait pas le temps d'y réfléchir ; Bob collé à ses talons, il se hâta de rejoindre Kol.

Ils ne se parlèrent pas tant qu'ils ne furent pas sur le chemin qui serpentait en bas de la montagne. Kol marchait vite et ce n'est que près d'un kilomètre plus loin qu'il ralentit le pas puis, après que Jacques le lui eût demandé plusieurs fois, il consentit à s'arrêter quelques instants.

— Qu'est-ce qui t'a fait peur à ce point ? demanda Jacques.

— Peur, moi ? Je n'ai pas eu peur...

— Si ce n'était pas de la peur cela y ressemblait étrangement. Pourquoi ne me parles-tu pas sincèrement, Kol ? Tu sais je n'ai pas été sans remarquer que le cristal s'est allumé alors que nous regardions « le lieu ». Qu'est-ce que cela signifie ?

— Je t'ai dit que les Bahalim se manifestaient à nous par l'intermédiaire de la voix dans nos temples.

— Oui et même par l'envoi d'une femme.

— Sache que ces cristaux ont jadis été posés par les Bahalim, nous croyons que ce sont des yeux, en quelque sorte, qui leur signalent notre présence ou les avertissent.

— Si c'est bien ce que je pense on peut en fait les comparer à des yeux... à des yeux mécaniques. Il en existe de semblables sur le monde d'où je viens.

— Vous aussi vous avez des Bahalim ?

— Grand Dieu ! non, s'exclama Jacques en riant, mais son rire s'arrêta sur un sourire jaune.

Certes il n'avait pas de Bahalim, mais bien d'autres choses les remplaçaient. Eux aussi étaient constamment « protégés », surveillés, encadrés depuis la naissance jusqu'à la mort ; la publicité qui provoquait une consommation forcée, l'intoxication des radios, des télévisions, de la presse... en fait aucun homme ne disposait de son libre arbitre. La « protection » était moins « officielle », moins visible que celle des Bahalim, mais elle existait.

Jacques reprit brutalement conscience, dévisagea Kol l'air absent, puis poursuivit :

— Ce sont des systèmes électriques, des sortes d'espions mécaniques. Oui, bien sûr, ces termes te sont inconnus. Comment t'expliquer... Tu crois donc, ajouta Jacques renonçant à expliquer, que les Bahalim savent que nous avons approché le lieu ?

— Peut-être ne savent-ils pas, le cristal nous signalait seulement de ne pas insister et de rebrousser chemin... Nous verrons bien, si ce que nous avons fait leur a déplu, ils ne tarderont sans doute pas à se manifester.

Les deux hommes reprirent leur chemin vers le village qu'ils atteignirent quelques heures plus tard. Malgré son instinctive répulsion, Jacques portait « Bob » visiblement à bout de souffle.

Il n'y avait personne sur la place et Icha les

attendait sur le pas de la porte. Elle avait l'air inquiète.

— Que se passe-t-il Icha ?

— Les habitants du village demandent qu'on leur donne des explications sur la présence de Jacques parmi eux. Ils sont au courant de ses dires. Nous savons qu'il n'existe pas d'autre monde que le nôtre et les affirmations de Jacques les troublent, les inquiètent. Certains murmurent qu'il est un démon, d'autres qu'il est un envoyé des Bahalim. Les émissaires que tu as envoyés aux quatre îles sont revenus depuis déjà plusieurs jours et ils refusent de parler...

— Je sais, je sais, viens Jacques, entrons, nous parlerons de cela à l'intérieur.

Les hommes entrèrent, suivis de l'iguane que Jacques avait reposé à terre. Ils s'assirent autour de la table. Icha commença à leur servir le repas. Le soleil baissait à l'horizon et bientôt cette nuit sans lune, sans étoiles, caractéristique à ce monde s'installerait sur Edena. Kol resta longuement silencieux, puis brusquement il parut exploser :

— Que veux-tu que je leur dise, Icha ? Que Jacques n'appartient à aucune des quatre îles et que peut-être il a raison, il viendrait peut-être d'un autre monde...

— Mais, Kol, tu sais bien que c'est impossible, nul ne peut franchir le dôme et même si on le pouvait nous savons qu'il n'y a rien derrière...

— C'est ce que nous croyons tous, Icha, et c'est ce que nous devons continuer à croire... Notre peuple est heureux. Il est vrai ajouta-t-il après un long silence, qu'avant ton arrivée nul ne se posait de question.

— Ce n'est tout de même pas ma faute. Crois bien que je n'ai pas demandé à venir. Je ne comprends d'ailleurs toujours pas comment je suis arrivé ici ; je t'ai cent fois raconté mon histoire et j'admets facilement qu'elle te soit incompréhensible, pourtant elle est vraie. Peut-être ai-je sans le savoir basculé dans un autre univers, j'ai peut-être franchi une porte ouvrant sur un univers parallèle, je finirai par m'en convaincre... Mais si je suis passé dans un sens, il doit bien en exister un autre qui puisse me permettre de réintégrer mon univers...

— Nous n'avons aucune raison, hormis celles de nos croyances, de mettre ton récit en doute, Jacques, mais avoue qu'il bouleverse toutes nos conceptions, qu'il nous pose un énorme point d'interrogation : s'il existe d'autres univers, pourquoi nous en tient-on éloignés ? Jusqu'alors nous avons cru qu'il n'existait qu'une seule civilisation, qu'une seule espèce : les nôtres. Tout ce qui nous semble extraordinaire, voire « divin », t'apparaît à toi chose naturelle : la voix, le cristal... Serais-tu toi aussi un dieu, un égal de ces Bahalim qui nous gouvernent depuis la nuit des temps ?

Jacques ne put s'empêcher de sourire :

— Non je ne suis pas un dieu, je suis un homme comme toi, mais nos civilisations sont différentes. Nous sommes passés par le stade où vous êtes, mais nous l'avons dépassé depuis longtemps alors que vous semblez vous y cantonner. Du moins, il m'apparaît évident que l'on vous empêche de le dépasser...

— Si cela est... alors pourquoi ?

Jacques eut une moue interrogative et secoua la tête :

— C'est justement ce que j'aimerais bien savoir.

CHAPITRE IV

Aussi après le repas Kol se retira dans l'un des angles de la pièce, s'assit dans un fauteuil et parut s'absorber dans une profonde méditation. Jacques, quant à lui, s'amusa pendant un temps avec le Gouana, mais le silence lui pesait. Icha débarrassa la table puis s'enferma dans sa cuisine.

— A quoi penses-tu, Kol ?

— A rien et à beaucoup de choses à la fois et je t'avoue que mes pensées m'effraient...

— A ce point ?

— Oui, je me crois bon, Jacques et pourtant tu vois, juste au moment où tu me posais ta question, une pensée venait de me traverser l'esprit...

— Laquelle ?

— Je me disais que si au lieu de t'avoir porté secours, nous t'avions laissé mourir, nous ne nous poserions pas tous ces problèmes... c'est indigne de moi et je m'en veux d'avoir eu cette idée.

— Pourquoi, Kol ? Elle est juste, tout homme se la serait posée. Je n'ai pas demandé, je te le répète, à venir ici. Je te l'ai raconté, je me suis vu mourir, je me suis noyé... et puis il y a eu ce trou noir, la sensation que quelqu'un me saisissait, me soutenait, m'emportait, ce visage de femme... puis plus rien... J'ai un gros, un énorme défaut, Kol, comme tous ceux de mon espèce : la curiosité, je veux comprendre ; il y a une explication et il faut que je la trouve dans notre intérêt commun, aide-moi.

— Que veux-tu que je fasse ? gémit Kol en poussant un soupir. Tu es beaucoup plus intelligent que moi, beaucoup plus instruit.

— Il n'est pas question d'intelligence ou d'instruction. Nous sommes différents parce que nos bases, les milieux dans lesquels nous avons été élevés, dans lesquels nous avons vécu sont différents, voilà tout. Tout dans ce monde-ci est naturel pour toi, pour moi il est inaccessible, incompréhensible. J'ai par moment l'impression d'être dans un univers différent et intérieurement quelque chose me dit que non, que le monde d'ou je viens est là tout proche, que quelque chose d'infime m'en sépare. Que nous vivons tous sur la même planète. Pour être franc, il me semble que le vôtre est artificiel.

— Comment cela ?

— Ce soleil uniformément chaud... cette nuit brutale sans lune et sans étoiles... ce mot même de dôme, ce lieu où nous avons été, cette cellule, enfin ce cristal qui dénote une technicité qui ne concorde pas avec la vôtre...

— En admettant même que tu aies raison,

Jacques, à quoi cela nous avancerait-il de savoir ? Qu'en tirerions-nous de plus ? Nous sommes heureux, nous ne pouvons faire de comparaison puisque nous ne connaissons que cela, nous ne nous posons pas de questions — du moins nous ne nous en posions pas...

— Je suis persuadé que la clé de ce mystère est à Sod. Il faut que j'y aille.

— Mais, Jacques, dit Kol en se levant brusquement, d'une part c'est impossible et d'autre part personne ne consentira à t'accompagner.

— Je n'ai besoin de personne, j'irai seul.

— Personne ne peut affronter seul la mer des Ombres...

Jacques eut un sourire, cette fameuse mer des Ombres ne pouvait être terrible, en tout cas pas plus vaste que l'Atlantique et il l'avait traversé seul.

— Moi je le ferai, dit-il simplement...

Kol allait répondre lorsque l'on frappa à la porte. Icha ouvrit. Jacques reconnut immédiatement la jeune femme qui le jour de son arrivée marchait à côté du bélier blanc à la tête du cortège qui se dirigeait vers le temple. Elle eut un mouvement de recul en apercevant le jeune homme, mais les hommes qui la suivaient la forcèrent à avancer. Ils s'arrêtèrent, visiblement gênés ; à l'évidence ils escomptaient que Kol serait seul.

— Vous pouvez parler. Allons, qu'est-ce que vous attendez ?

— C'est que...

— Ma présence vous gêne, intervint Jacques ; car il va être question de moi, n'est-ce pas ?

— En effet, il va être question de toi. Nous nous posons des questions, dit la jeune femme.

— Décidément tout le monde s'en pose, eh bien allez-y, parlez, dites ce que vous avez à dire.

— Depuis que tu es arrivé parmi nous, rien n'est plus comme avant. Tu racontes d'étranges histoires...

— Elles sont vraies.

— Si ce que tu racontes était vrai, nous le saurions, la voix nous l'aurait dit, la voix n'a jamais parlé d'un autre monde, à plus forte raison d'un autre univers. Les Bahalim...

— Ah ! les Bahalim ; vous me rebattez les oreilles avec vos Bahalim. Qui sont-ils après tout ? Que savez-vous d'eux ? S'ils existent, ils vous exploitent, ils vous maintiennent dans l'ignorance...

Une sourde rumeur parcourut l'assistance, à plusieurs reprises Jacques entendit « sacrilège »... « les Bahalim se vengeront »... il poursuivit néanmoins :

— ... et puis après tout, je me tue à le répéter : je ne demande pas mieux que de m'en aller. Donnez-m'en les moyens et je vous débarrasserai de ma présence. Donnez-moi un bateau, j'irai à Sod et s'ils existent, vos fameux Bahalim, je les verrai, je discuterai avec eux, et il faudra bien qu'ils m'écoutent.

— Tes paroles n'ont aucun sens. *Il ne peut rien y avoir après le dôme,* des Benhasout ont vu les piliers du bout du monde, ils les ont touchés de leurs mains... Edena est une immense plaque recouverte par « quelque chose » que nous appelons « dôme », en dehors de cela il n'y a rien... rien... tu entends !

— Alors qui suis-je ? Dis-le, toi qui sais tout.

— Si tu n'es pas l'un des nôtres, si tu ne viens d'aucune des quatre îles, si tu n'es pas un Bahalim... alors tu es... tu es... tu ne peux être qu'un démon.

— Voilà le grand mot lancé, s'écria Jacques. Vous me rappelez les bons temps de l'Inquisition. Evidemment vous ne pouvez pas comprendre ce terme. Quels que soient les régimes, quels que soient les mondes sur lesquels ils vivent, les humanoïdes restent partout les mêmes : tout ce qu'ils ne comprennent pas, tout ce qui différent est ennemi.

— Tu n'es pas notre ennemi, dit Kol, se plantant devant Jacques, montrant ainsi aux Benhasout qu'il le prenait sous sa protection. Et toi, ajouta-t-il s'adressant à la jeune femme, comment peux-tu te permettre de pareilles affirmations ?

— Pourquoi a-t-il voulu connaître les lieux, et pourquoi lui as-tu montré l'un d'entre eux ?

— Comment sais-tu cela ? fit Kol étonné.

— J'étais dans le temple... le cristal m'a révélé

les images de votre ascension et la voix elle-même s'est fait entendre. Elle s'étonne de la présence de cet étranger parmi nous.

— Comment cela ! s'exclama Jacques. Je croyais que les Bahalim savaient tout ?

— C'est vrai, fit la jeune femme, le front brusquement barré d'un pli soucieux.

— Vous m'avez recueilli sur l'une de vos plages ; normalement j'aurais dû me noyer, mais j'y pense maintenant, celle qui m'a sauvé l'a-t-elle fait à leur insu ? Mais, ma parole, on dirait qu'ils ont peur de moi, comme vous... Quel danger puis-je représenter pour eux, je me le demande ?...

— Les Bahalim ne peuvent te craindre.

— Alors pourquoi se posent-ils tant de questions à mon sujet, puisqu'ils sont censés tout savoir, tout connaître ?

— Ne continue pas à blasphémer, s'écria la jeune femme visiblement à court d'argument.

— Ne suis-je point le chef de ce village, celui que vous avez librement choisi pour vous diriger ? dit Kol.

— Si fait, mais...

— Il se fait tard, la nuit est tombée depuis longtemps... nous discuterons de cela demain...

— Au temple, je vous attends au temple, répéta la jeune femme les yeux égarés. Certes tu es notre Chef, nous t'avons choisi, mais moi ce sont les Bahalim qui m'ont désignée...

— Soit, au Temple, demain nous y serons ; et maintenant laissez-nous.

***

Jacques ne dormit guère et cette nuit-là lui sembla une des plus longues qu'il avait vécues. Le « soleil » à son lever le trouva debout, arpentant sa chambre. Il se dirigea vers la fenêtre et d'un geste rageur tira les rideaux. Il apercevait dans le lointain la montagne où il s'était rendu la veille avec Kol. Un bref instant, il lui sembla distinguer une lueur, comme si les rayons du soleil avaient frappé le cristal. Il eut comme un éblouissement et le visage de la femme, celle qui l'avait sauvé lui apparut. Il était si présent, si réel que cela semblait impossible, et puis distinctement, il entendit une voix, une voix douce aux accents mélodieux.

— Ne crains rien, « homme de la surface », je te protège.

Puis brusquement on frappa à la porte et la vision comme l'audition s'effacèrent.

— Oui, entrez.

— Déjà debout, Jacques ?

— Toi aussi, Kol... comme moi tu sembles n'avoir guère dormi.

— En effet. Pour être franc, je n'ai pas fermé l'œil de la nuit.

— Je m'en veux de tous les soucis que je te donne, Kol. Mais je crois que j'ai compris. Tout à l'heure j'ai entendu... du moins j'ai cru entendre une voix et cette voix a employé des termes... Oh ! et puis, à quoi bon te mettre de nouvelles idées en tête, à quoi bon forger de nouvelles hypothèses, j'ai sûrement eu une sorte d'hallucination auditive, cela paraît... c'est tellement impensable, ajouta-t-il à voix basse.

— Tu as fait un cauchemar, voilà tout. Allons, maintenant Icha nous a préparé un déjeuner, nous avons besoin de reprendre des forces pour...

— Ah oui, c'est vrai, j'avais presque oublié que nous devions aller au Temple.

***

Ils étaient une vingtaine réunis sur le parvis lorsque Jacques et son ami sortirent de la maison. Leurs visages étaient grandement hostiles et le jeune homme se demandait pourquoi. Il ne leur voulait aucun mal. Il essayait d'interpréter leurs pensées, de les comprendre.

Kol lui adressa un sourire d'encouragement alors qu'ils pénétraient dans le Temple. Oubliant son angoisse bien compréhensible, Jacques regardait intensément. Le fond du bâtiment était tendu de tentures blanches et noires, un peu en avant une petite estrade avec, aux deux angles, une colonne de pierre sculptée, au centre de l'estrade, une colonnette supportant un cristal semblable à celui du « lieu » et juste en dessous un orifice recouvert d'un fin treillis... « Comme un micro », pensa Jacques.

— C'est par là que provient la voix ? demande-t-il à voix basse à Kol.

— Oui, en effet... mais comment le sais-tu ?

— Il existe de semblables appareils sur le monde d'où je viens.

Kol parut surpris mais ne dit rien. Les murs étaient nus à l'exception de quelques sculptures pour la plupart représentant des êtres aux formes humaines mais à la tête remplacée par un disque, d'autres êtres les entouraient adoptant une attitude de soumission. Sans aucun doute Jacques avait sous les yeux les représentations des Bahalim. Il n'eut pas le temps de s'interroger davantage... la jeune femme surgissant de derrière la tenture venait de faire son entrée.

— Les Bahalim s'interrogent et c'est la première fois depuis que Tatimie et Edena existent que cela se produit. Un être ayant notre apparence s'est introduit parmi nous et nous savons maintenant qu'il n'appartient à aucune des quatre îles. Cet homme, poursuivit-elle, fuyant à l'évidence les regards de Jacques, raconte d'impossibles histoires, il sème parmi nous les graines d'une curiosité pernicieuse, il fait naître le doute chez certains. Nous vivions heureux jusqu'alors, jamais nous ne nous étions posé de questions, nous ne connaissions ni le doute, ni la crainte, ni la haine...

— Alors que devons-nous faire ? cria une voix.

— Jamais pareil cas ne s'est posé. « Avant » lorsque nous avions une querelle, un problème quelconque, nous le soumettions aux Bahalim, ils tranchaient pour nous. Nous devons délibérer entre nous et rendre notre justice nous-mêmes.

— Nous en sommes incapables, et tu le sais bien.

— Par leur silence, par leurs questions, les Bahalim semblent nous y inviter...

— De quel droit te permets-tu d'interpréter les pensées de ceux que tu nommes les Bahalim ? intervint Jacques excédé. Si quelqu'un m'a sauvé de la noyade et il y a quelqu'un, sinon je serais mort depuis longtemps et vous n'auriez jamais connu mon existence, il doit forcément être au courant. Or si les Bahalim ne le sont pas, c'est qu'il y a sur votre monde quelque chose, ou quelqu'un d'autre qu'eux et que vous.

— C'est impossible, repartit la jeune femme, butée...

— Ecoutez-moi tous, s'écria Jacques. Je ne vous ai dit que la vérité aussi incroyable que cela puisse vous paraître, à vous comme à moi ; d'ailleurs je vous jure que je suis de bonne foi. Laissez-moi aller jusqu'à Sod, s'ils existent je parlerai aux Bahalim et peut-être obtiendrai-je d'eux de regagner mon univers... Qu'avez-vous à craindre ? Si je meurs, nul d'entre vous ne me regrettera... il ne se posera plus de problème.

— Il a raison, firent plusieurs voix.

— Fouler le sol de Sod est impossible et, si il y parvenait les Bahalim nous tiendraient pour responsables de son sacrilège.

— Mais non, puisque je ne suis pas des vôtres et qu'ils le savent.

— Non, non, il faut le tuer et confier son corps à la mer d'où nous l'avons retiré…

— Pourquoi cette soudaine soif de sang ? intervient Kol. J'ai hébergé cet homme et je le crois de bonne foi. Jamais nos ancêtres n'ont répandu de sang, les Bahalim nous l'interdisent. Transgresserais-tu leur ordre, toi qui leur as été consacrée ?

— Cet homme est une menace pour nous.

— Alors supprimons cette menace, accordons-lui ce qu'il nous demande, donnons-lui une barque. Si les Bahalim veulent sa mort, qu'ils se chargent de prendre sa vie, ne nous souillons pas du sang de l'un de nos semblables…

Les hommes restèrent longtemps silencieux et brusquement le cristal se mit à étinceler, un visage, ou peut-être plusieurs visages apparurent sur l'une des facettes, tandis que des voix se faisaient entendre. Ce qu'elles disaient était incompréhensible car elles parlaient toutes en même temps, mais pour Jacques il était évident qu'une voix dominait toutes les autres comme si elle avait voulu brouiller le message et en même temps un visage lui apparaissait plus distinct, un visage de femme, le visage de la femme qui l'avait sauvé, puis tout s'arrêta aussi brusquement que cela avait commencé.

Visiblement les hommes, comme la jeune « prêtresse », étaient désorientés. Jacques comprit qu'il lui fallait en profiter :

— Les Bahalim, vous le voyez, ne sont pas d'accord entre eux. En tout cas ils ne veulent pas ma mort. Laissez-moi partir.

— Qu'il s'en aille.

— Alors qu'il fasse vite... Qu'on lui donne une barque et quelques vivres et que nous ne le revoyions jamais plus.

La jeune femme tourna les talons et disparut derrière la tenture. L'assistance sortit lentement du temple. A nouveau le cristal était terne et Jacques poussa un soupir de soulagement.

***

— J'avoue que j'ai eu peur pour toi, dit Kol, à peine eut-il refermé la porte...

— Je ne te cacherai pas que j'ai eu une sueur froide, tenta de plaisanter Jacques.

— Je ne sais pas ce qui lui a pris... Elle n'a jamais été comme cela, jamais aucun d'entre nous n'a pensé sérieusement à en tuer un autre. Ces images non plus je ne les interprète pas : on dirait que les Bahalim veulent te supprimer et qu'en même temps quelque chose les en empêche.

— Quelque chose ou « quelqu'un », j'ai mon idée sur la question, et je me demande même pourquoi. Il est vrai, si je me mets à leur place, qu'ils n'ont aucun intérêt à ce que je vive. De toute évidence, ils vous tiennent volontairement dans l'ignorance ; mais si, ne proteste pas, je crois que j'ai compris...

— Compris quoi ?

— Essaie d'imaginer, Kol, fit Jacques saisissant une chaise et s'asseyant, un monde où il y aurait non seulement du soleil, mais une lune, un univers comportant des milliards d'étoiles, des milliards de soleils, des milliards de galaxies...

— J'essaie, mais j'avoue qu'il m'est difficile, presque impossible de croire, et même d'imaginer que cela puisse exister...

— Sur ce monde, il y a des mers comme ici, des mers dont certaines sont si profondes qu'il est impossible de les sonder. Aussi incroyable, aussi impensable que cela paraisse, même pour moi, je crois qu'Edena est un monde sous-marin...

— Tu divagues, Jacques, il n'y a pas de soleil sous la mer, il n'y a pas d'herbes, pas d'arbres, pas d'hommes.

— Imaginons toujours si tu le veux bien que ton soleil soit artificiel, que le « dôme » ne serve qu'à vous isoler de la surface...

— En admettant, pourquoi avoir voulu nous isoler des autres hommes, pourquoi l'univers dont tu me parles, s'il existe, nous serait-il interdit ?

— C'est justement ce que j'aimerais savoir et je le saurai...

— Cela n'explique pas l'attitude de Yalda.

— Yalda ?

— La jeune prêtresse... Pourquoi cette hargne ?

— Oh ! cela s'explique bien facilement au contraire. Elle est celle que les Bahalim ont désignée pour être intermédiaire. A ce titre la communauté l'entretient... n'est-ce pas ?

— Bien sûr.

— Mon autorité remet en cause son autorité. Je parle de choses qu'elle ne connaît pas, de choses dont ceux dont elle est la prêtresse ne lui ont jamais parlé, je connais et j'explique ce que sont vraiment le cristal et l'appareil d'où provient la voix, alors qu'elle en est incapable. Il n'en faut pas plus pour que je lui apparaisse comme un danger menaçant son autorité... toute relative d'ailleurs... Crois-moi, Kol, on peut étouffer les sentiments et les passions humaines pendant un temps plus ou moins long, mais il sont là, présents, dissimulés au fin fond de chacun d'entre nous, prêts à resurgir dès que l'occasion se présente... Je ne lui en veux pas...

— Mais elle n'a pas le droit d'agir comme elle l'a fait, je suis le Chef de ce village, je...

— Laissons cela, veux-tu, Kol, je sais que tu es mon ami. Mais je me rends compte que j'ai causé beaucoup trop de troubles ici en Edena... Je vais partir, je dois tenter tout pour rejoindre les miens.

— Tu vas mourir, Jacques, personne n'est jamais allé jusqu'à Sod. « Ils » ne le permettent pas.

— Nous verrons bien. Mourir pour mourir, je

préfère que ce soit de cette manière, en tentant de retrouver ma liberté ; mourir s'il le faut, mais libre.

CHAPITRE V

La mer était d'huile et Jacques ramait énergiquement. Il n'y avait pas un souffle de vent et la voile pendait, flasque, inutile le long du grand mât. Il s'arrêta un moment et se retourna pour faire signe à Kol et Icha qui le regardaient s'éloigner. Il eut un serrement de cœur, il s'était pris d'amitié pour ce couple que sans doute il ne reverrait jamais. Il s'efforça à chasser sa tristesse et se remit à pagayer.

Rischona, la plus grandes des quatre îles devait se trouver à une dizaine d'heures. Il se dirigea vers elle. Il jeta un coup d'œil à la carte grossière que lui avait tracée Kol. Les quatre îles formaient un vaste demi-cercle et Sod se situait approximativement au centre de ce cercle. Il avait hâte d'y être. Le danger ne lui faisait pas peur. Il était sur une mer et la mer était son élément. Au bout de quelques heures de navigation une légère brise se leva qui poussait droit vers Rischona. De gros poissons qu'il ne reconnut pas accompagnaient l'esquif. Il lui sembla même apercevoir dans le lointain le souffle d'une baleine.

Il régla la voile et se laissa aller sur le dos, et pour la première fois depuis son « arrivée » sur ce monde il se mit à contempler le ciel avec attention. Il plissa les yeux pour mieux supporter la lumière du soleil et il se concentra. En même temps qu'il regardait il entendait encore la voix intérieure lui dire : « homme de la surface ». Très haut au-dessus de sa tête, entre deux nuages il lui semblait apercevoir des formes, des ombres fugitives passer et repasser... mais sans doute s'autosuggestionnait-il lui-même car ces formes ressemblaient à celles de poissons. Et si c'était vrai, si malgré toute vraisemblance il était dans un monde sous-marin ? Et à la réflexion tout le lui faisait penser.

S'il était bien sur un monde sous-marin il fallait qu'il se situe à une profondeur incroyable pour que nul n'en ait jamais soupçonné l'existence. Ceux qui l'avaient créé devaient posséder une technique impressionnante, infiniment supérieure en tout cas à celle dont disposaient ceux de la surface : le dôme devait supportér des pressions telles qu'aucune matière connue ne lui semblait capable d'y pouvoir résister. Mais pourquoi avoir créé un tel monde ?

Il finit par s'endormir et lorsqu'il ouvrit les yeux les côtes de Rischona se découpaient à l'horizon. Elles ressemblaient à celles d'Edena, même plage de sable, même village, même végétation. Au bout d'une heure environ le frêle esquif atteignit la plage et le jeune homme sauta. Il ne fut pas long à s'apercevoir qu'un groupe d'hommes et de femmes venait à sa rencontre. Jacques leur adressa un signe d'amitié. Les hommes s'arrêtèrent, parurent se concentrer un moment, puis il vit quelques-uns d'entre eux se baisser. Quelques instants plus tard des pierres sifflaient à ses oreilles.

— Arrêtez, qu'est-ce qui vous prend ? hurla-t-il. Je suis Jacques, je viens d'Edena, je suis l'ami de Kol.

Ils ne l'écoutaient pas et une pierre lancée avec force le frappa en plein front. Il vacilla, et porta les mains à sa tête. Il saignait et les pierres et projectiles de toutes sortes continuaient à pleuvoir autour de lui. Il allait être lynché. Visiblement aucun des habitants de Rischona n'était disposé à l'écouter, il lui fallait fuir et vite avant que de périr lapidé. Il s'efforça à repousser la barque, mais il était encore étourdi, il n'y parvenait pas. Les Rischoniens s'approchaient, il entendait leurs cris de haine. La terreur s'empara de lui. Il ne pouvait rien contre eux, ils étaient une vingtaine sans compter les femmes qui ne semblaient pas les dernières à hurler et à lancer des pierres. Il s'arc-bouta, poussant de toutes ses forces... en vain. Les assaillants n'étaient plus maintenant qu'à quelques mètres... Une nouvelle pierre le toucha au côté... La douleur fut si vive qu'il lâcha prise et s'affala sur le sable. Il tenta de se relever, de s'emparer d'une pagaie, il était décidé à vendre sa vie très cher. Un pied se posa sur son poignet alors qu'il sentait des mains l'agripper par ses vêtements. Les hurlements des femmes redoublèrent. Avec horreur, il vit un homme soulever une énorme pierre et se préparer à la jeter sur lui. Il ferma les yeux ne doutant point que sa dernière heure fût venue... et soudain une voix se fit entendre, dominant le tumulte.

— Arrêtez, arrêtez malheureux, qu'allez-vous faire ?

Il y eut un flottement. Ouvrant les yeux, Jacques distingua une haute silhouette qui se frayait un passage jusqu'à lui. L'homme laissa tomber la lourde pierre. Les mains déserrèrent leur étreinte et péniblement Jacques parvint à se mettre à genoux.

— Allez-vous-en, regagnez vos demeures. Moi Aktar, chef de ce village, je vous l'ordonne, dit le nouveau venu d'un ton sans réplique.

— Mais, Aktar, le messager de Yalda, prêtresse du temple d'Edena nous a dit que cet étranger était notre ennemi...

— Que pouvez-vous craindre de lui ? Il est seul et sans arme. Jamais auparavant notre peuple s'est conduit comme vous le faites aujourd'hui. Vous devriez avoir honte. Est-ce là suivre les enseignements des Bahalim ? Je prends cet homme sous ma protection.

— Prends garde, Aktar, fit une voix, s'il est

l'ennemi des Bahalim que tu invoques, ils se vengeront.

— En ce cas leur vengeance s'abattra sur moi, j'en prends la responsabilité. Regagnez vos demeures, vous dis-je.

La foule se retira en grognant. Aktar attendit un long moment qu'elle ait disparu puis se pencha sur Jacques.

— Pas trop de mal ?

— Non, je ne crois pas, mais il était temps que vous interveniez, ces énergumènes m'auraient fait un mauvais parti.

— Ne leur en veuillez pas trop, ce sont des gens frustes, simples. Tu leur poses une énigme, ils ont peur et leur peur se transforme vite en colère irraisonnée...

— Mais vous... pourquoi êtes-vous intervenu ?

— Je suis un ami de Kol, je connais ton histoire, poursuivit l'homme en nettoyant avec de l'eau de mer les plaies du jeune homme. Kol est un homme sage et de bon jugement, s'il t'a accordé son amitié, c'est qu'il t'en jugeait digne. Je sais que tu veux aller jusqu'à Sod car tu penses que tu pourras rejoindre le monde dont tu dis venir.

— En effet.

— Je crains bien que tu n'y arrives jamais, mais je crois aussi que tu ne peux sans danger continuer à vivre parmi nous. Dès que tu auras repris des forces je te donnerai quelques vivres et tu poursuivras ta route. Evite les autres îles car je crains bien que le même sort te soit réservé. Ne bouge pas je vais panser tes blessures.

Le chef déchira un pan de son peplum et en confectionna un bandeau. La blessure du côté n'était rien. Il lava soigneusement la plaie puis fit un pansement, Jacques avait maintenant totalement retrouvé ses esprits, mais il demeurait muet, s'interrogeant sur l'attitude incompréhensible des Rischoniens, comme sur celle des Edeniens d'ailleurs.

Aktar avait raison : si Jacques voulait atteindre Sod, mieux vaudrait qu'il évitât les autres îles. Le Rischonien le laissa quelques instants à la garde d'un énorme gouana à l'aspect peu engageant. Il revint portant un paquet de fruits et de viande séchée...

— Sod est-elle encore loin ? demanda Jacques après l'avoir remercié.

— Nul ne peut apprécier les distances. La mer des Ombres commence bien avant l'île et on ne peut que l'entr'apercevoir... à environ trois jours de navigation...

Jacques et son nouvel ami parlèrent durant plusieurs heures, mais Aktar se méfiait des réactions de ses compatriotes et malgré que le jour commençât à baisser, il conseilla à Jacques de partir. Il l'aida à pousser la barque à la mer et le salua d'un geste amical tandis qu'il s'éloignait.

Jacques se sentait seul, désespérément seul. Le soleil d'Edena se coucherait dans une heure ou deux et il devrait affronter la nuit sans étoiles de ce monde étrange. La mer était calme, il ne risquait rien, pourtant il se sentait oppressé, inquiet. Il était différent de ces êtres et ils le rejetaient. Peut-être avaient-ils inconsciemment le sentiment de leur dépendance et s'en sentaient-ils diminués ?

Jacques fixa le gouvernail dans la direction de l'île mystérieuse, s'allongea dans le fond de la barque et ferma les yeux. Sa peur avait totalement disparu. Il ne s'étonnait même plus de son prodigieux destin. Vaguement il pressentait que quelque chose l'attendait, quelque chose qu'il souhaitait et qu'il redoutait tout à la fois, mais qu'il savait ne pouvoir éviter.

Il s'endormit et son sommeil se peupla de rêves étranges et cauchemardesques. Il se revoyait sur le Poséidonis, il revivait la tempête. Il se voyait attaché au grand mât, hurlant de douleur, le chant des sirènes lui frappait les oreilles, il voulait les rejoindre et ne le pouvait pas. Un visage surgissait de l'eau et un corps de femme apparaissait entre les vagues, ses bras se tendaient vers lui, sa bouche lui souriait et soudain le vaisseau basculait, il cherchait à se détacher et ne le pouvait pas. L'eau s'engouffrait dans ses narines, dans sa bouche, dans ses poumons ; il suffoquait.

⁂

Le canot tanguant en tous sens le réveilla brutalement, la mer était grosse et il embarquait de l'eau. Il se mit à écoper avec ses mains. Le soleil pointait à l'horizon et Jacques se rendit compte qu'il avait dormi plus de 12 heures d'affilée. Le vent se faisant de plus en plus fort, il décida d'amener la voile. Un rapide calcul mental lui fit se rendre compte qu'il devait se trouver aux abords immédiats de la mer des Ombres et, de fait, à quelques milles devant lui, il devinait déjà une énorme masse cotonneuse qui semblait se diriger vers lui... Là-bas, il y avait Sod. Le « ciel » se couvrait de nuages d'un noir d'encre et le vent augmentait de puissance. Le frêle esquif ne fut bientôt plus qu'un jouet « aux mains » des éléments déchaînés. Des éclairs déchiraient la nue, mais Jacques remarqua qu'ils ne venaient point du ciel mais semblaient provenir de la terre et monter jusqu'à lui comme s'ils eussent été artificiels.

Il ne voyait pas à 10 mètres et la barque raclait par moment d'énormes rochers qui affleuraient la surface. Toute son énergie était concentrée sur le maintien du bateau, une seconde d'inattention et il irait s'écraser sur un récif... Jacques comprenait à présent la terreur des Edeniens, des Rischoniens et des autres habitants de ce monde. Il se serait vraiment cru à l'entrée de l'enfer : l'eau, l'air, le feu et les rochers de la terre se confondaient, cherchant à recréer le chaos originel.

Si les Edeniens et les autres avaient eu raison ? S'il allait mourir...

Véritablement cette mer démontée évoquait les

portes de l'enfer. Par moments au travers des eaux glauques, Jacques discernait des taches lumineuses qui s'éclairaient par intermittence. De longues formes fuselées passaient à quelques encablures de la barque. Il y eut un choc brutal, la barque venait de heurter quelque chose, quelque chose d'invisible.

***

Le choc a complètement déséquilibré Jacques, il a roulé dans le fond de la barque. Le mât s'est abattu, le heurtant violemment à la tête. Dans une semi-inconscience il lui semble à nouveau entendre la voix.

— Ne bouge surtout pas. Fais le mort, je vais tenter de te sauver une nouvelle fois.

Des bulles lumineuses flottent et éclatent devant ses yeux, il y a une succession ininterrompue d'éclatements, de craquements, d'énormes vagues le submergent, il hoquette, il suffoque... La barque est rejetée, puis ramenée, elle ne cesse de heurter d'invisibles obstacles... Jamais le bois ne tiendra. Elle va éclater... Jacques ressent inconsciemment des présences à ses côtés, il sait que ces longs objets qu'il devine sous les eaux sont des instruments, des sortes de sous-marins qui le recherchent, qui veulent le détruire... mais pourquoi ?

Dans une semi-inconscience, alors qu'une nouvelle fois la barque vient de heurter l'obstacle, il lui semble distinguer un long objet fuselé qui vient se ranger à côté de l'esquif... Une forme se penche sur lui. Quelqu'un l'aide à se lever. Il sent qu'on le soutient, qu'on l'entraîne. Il entrevoit un orifice brillant, une échelle, mécaniquement il descend les échelons... Les vagues sont de plus en plus fortes, la tête lui fait mal, quelqu'un l'étend sur une couchette... un visage... Le visage se penche sur lui, puis tout se trouble, tout se met à tourner à une vitesse fantastique... Il s'entend crier :

— Kol... les Bahalim... la Terre... pourquoi, pourquoi ?

... Puis il sombre dans l'inconscience...

⁂

Sifflements du vent, vagues, tempêtes... peur, sensation de chute, de noyade, affolement... Jacques se réveilla brusquement et se dressa sur son séant. Il faisait sombre et il mit longtemps avant de réaliser ce qui était arrivé et où il se trouvait... puis, tout lui revint à flots.

Il avait heurté les barrages magnétiques dont parlaient les Edeniens ; à nouveau il avait failli se noyer et avait été sauvé in extremis par une jeune femme. Cela il en était certain... mais alors s'il avait franchi le barrage... où était-il ? A l'évidence il ne pouvait se trouver que sur Sod, dans le domaine des Bahalim. Tout autour de lui était différent de ce qu'il avait vu chez les Edeniens. Alors que là-bas tout était simple, rustique, ici tout était ultra-moderne, futuriste comme on aurait dit « à la surface ». Son lit, qu'apparemment rien ne reliait au plancher, flottait entre sol et plafond. Les murs étaient lisses, du moins d'après ce qu'il put voir lorsque ses yeux se furent habitués au clair-obscur qui régnait dans la pièce. Il se leva et fit quelques pas en direction d'un panneau qui coulissa à son approche, découvrant un vaste écran.

Une petite lampe rouge clignotait sans arrêt sur un tabulateur qui soulignait l'écran. L'invite lui parut évidente : enclencher cette touche. Il eut une hésitation, puis réfléchit ; que risquait-il ? On ne l'avait pas sauvé pour le supprimer ensuite... De toute façon il n'avait rien à perdre. D'un doigt ferme il appuya sur le bouton.

Le cadran s'illumina et des stries lumineuses s'y inscrivirent, puis des images apparurent qu'il ne comprit tout d'abord pas. Une île noire, désertique, un volcan peut-être à en juger par la forme. Sur les flancs de la montagne ou du volcan, des dizaines d'appareils aux formes tourmentées, gigantesques coupes inversées, tours métalliques, poteaux entre lesquels d'immenses toiles d'araignées semblaient tendues... Et l'horizon, l'horizon qui ne semblait que vibration continue. Il en était certain maintenant, il était sur Sod... On le lui faisait comprendre, on le préparait à autre chose, il fallait qu'il l'admette.

CHAPITRE VI

Les images succédèrent aux images pendant plusieurs heures. Jacques vit le dôme qui entourait la cité sous-marine. On lui faisait comprendre que tout cela était création d'être supérieurs, ceux que les Edeniens nommaient Bahalim et que cela avait été fait dans un but précis. Mais, des Bahalim il ne savait toujours rien. A deux ou trois reprises il vit une immense salle et de nombreux sièges disposés en demi-cercle autour d'une étrange machine dont il ne comprenait pas l'utilité, mais ces images furent trop fugitives pour qu'il puisse en tirer une conclusion quelconque.

Alors qu'il était en pleine contemplation, Jacques sursauta. Une porte venait de s'ouvrir derrière lui. Sur la défensive, il se retourna brusquement et réprima un cri de surprise. Un orifice en effet venait de se découper dans l'une des cloisons. Il s'attendait à voir l'un de ces mystérieux Bahalim et surtout (pourquoi ne se le serait-il pas avoué) la jeune femme qui à deux reprises lui avait sauvé la vie... Rien de tout cela. Avec des mouvements saccadés un robot anthropomorphe s'approchait lentement du lit. Il portait un plateau, un repas substantiel y était disposé.

Le robot s'arrêta à quelques mètres du lit et abaissa le « bras » gauche. Une tablette s'éleva immédiatement du sol venant d'on ne sait où et s'arrêta à la hauteur de la taille du robot. Celui-ci y déposa le plateau et, avant que Jacques ne fût revenu de sa surprise, sortit de la pièce sans bruit. L'ouverture se referma derrière lui.

Jacques n'avait plus à présent aucun doute. Les images le prouvaient, il était bien sur Terre, mais aussi incroyable que cela puisse paraître, dans un monde sous-marin conçu par des êtres infiniment supérieurs à ceux de la surface.

Les Terriens auraient dû s'en douter... Depuis des siècles il se produisait des événements mystérieux et inexplicables que le rationalisme aveugle des hommes les empêchait d'admettre. Jacques comprenait, et pour cause, les disparitions innombrables qui avaient eu lieu un peu partout dans le monde.

Il se persuadait non seulement que des civilisations très évoluées avaient pu exister bien avant les « débuts » de l'histoire, mais encore qu'il en existait d'autres, tout au moins une, que les hommes ignoraient totalement.

Il eut un brusque haussement d'épaules et poussa un soupir. A quoi cela pouvait-il bien lui servir de savoir ? Il était malheureusement à parier qu'il ne reverrait jamais la surface.

Il se dirigea vers le plateau, saisit l'un des plats, s'assit sur le bord du lit et commença à manger. Il avait faim et eut bientôt terminé tout le contenu du plateau qu'il arrosa copieusement de plusieurs verres d'une boisson légèrement alcoolisée qui lui rappelait vaguement le vin.

Il s'étendit sur le lit, croisa ses mains derrière la nuque et s'absorba dans la contemplation du plafond. L'écran maintenant restait terne, strié seulement par moment de longues bandes sinueuses.

Il en avait assez de réfléchir, de se poser des questions. Il s'efforça à faire le vide en lui-même sans y parvenir. Il resta ainsi plusieurs heures sans doute sans que rien ne se manifeste, puis il lui sembla entendre un bruit, un bruit de pas qui se rapprochait.

Tous sens en alerte, il se leva doucement, évitant de faire le moindre bruit. C'était vrai, quelqu'un se dirigeait vers sa cellule. Il n'eut pas à s'interroger longtemps. A nouveau l'orifice se découpa dans la cloison. Une forme sombre se détacha bientôt sur la brillance du couloir. Elle fit encore quelques pas et apparut en pleine lumière.

— Vous !

L'exclamation avait échappé à Jacques. Il venait de reconnaître le visage de la femme qui par deux fois lui avait sauvé la vie. Il restait interdit ne sachant quelle contenance adopter. Il ne pouvait détacher les yeux du visage de l'arrivante. Elle était blonde, ses longs cheveux dénoués flottaient jusqu'à la taille, le visage dessinait un ovale parfait, les yeux verts en amande étaient incisifs et perçants, les lèvres souriaient découvrant des dents éclatantes de blancheur.

Elle était vêtue d'une combinaison blanche très moulante, la taille soulignée par une large ceinture métallique ornée d'une énorme boucle en forme de boîtier sur lequel plusieurs touches formaient un motif décoratif. Battant contre la cuisse, un étui contenant une sorte de pistolet. Au poignet gauche, elle portait quelque chose qui pouvait ressembler à une montre mais qui, Jacques l'apprendrait par la suite, n'en était pas une.

Elle avait l'air préoccupé mais néanmoins elle souriait.

— Je te salue, homme de la surface, dit-elle simplement.

Puis faisant quelques pas, elle alla s'asseoir sur le rebord du lit et fit signe à Jacques de venir l'y rejoindre.

Il s'exécuta comme un automate. Il avait tout à coup tant de questions à poser, qu'il se sentait incapable d'en formuler aucune. La jeune femme lui épargna cette peine.

— Je me nomme Talma et je suis une de ces Bahalim dont tu as entendu parler.

— Je suis donc bien sur Sod ?

— En effet... Tu ne pouvais rester à Edena, ni sur aucune des quatre îles sans attirer leur attention. Tu as bien failli causer toi-même ta perte... ta curiosité insatiable a révélé ta présence au Conseil...

— Quelle curiosité, quel Conseil ? Je ne comprends pas un traître mot à ce que vous dites. Je ne vois qu'une chose, je suis prisonnier dans un monde qui n'est pas le mien et...

— Estime-toi heureux d'être en vie.

— Mais pourquoi aurais-je dû mourir ? Qu'est-ce que je leur ai fait aux Bahalim, à votre Conseil ?

— Tu as vu certaines choses qui ne doivent pas être divulguées aux tiens... enfin à ceux de la surface... Tu as assisté au départ de nos missiles de reconnaissance.

— ... Et quand bien même je l'aurais raconté on ne m'aurait pas cru, vous n'avez rien à craindre des hommes de la surface.

— C'est mon avis... ce n'est pas celui des membres du Conseil...

— M'expliquerez-vous à la fin. Que signifie cette mascarade ? Que veulent dire tous ces mystères ?

— Ne sois pas si impatient, sourit l'inconnue, ne suis-je point là pour cela ? Je vais te raconter depuis le début.

« Comme tu le sais à présent, nous sommes dans un monde sous-marin construit par mes ancêtres il y a des milliers de vos années. Nous communiquons parfois avec votre monde, quelques-uns des nôtres vivent quelque temps au milieu des tiens sans qu'ils s'en aperçoivent car à quelques infimes détails près nous sommes morphologiquement semblables. »

— Qu'une telle construction, une telle civilisation aient pu passer inaperçues durant des siècles me semble inconcevable...

— Les tiens l'on connue jadis... tout au moins quelques-uns des tiens... car il en est venu. Aucun ne s'est jamais aperçu se trouver dans un monde sous-marin. Le souvenir de leur voyage est resté dans de très nombreuses de vos légendes. Tatimie est pour les Irlandais « le pays des vivants » ou le Roi Coudla le Beau suivit une jeune femme à bord d'un esquif de cristal (1). Nous sommes « l'île d'Avalon » des traditions galloises et le fameux Atlantide cher à Platon. Nous sommes enfin ce paradis perdu que cherchait Christophe Colomb, dont parlent les vieilles traditions cabalistiques...

« En réalité nous ne sommes rien de tout cela, ni nous, ni notre monde. Nous sommes des humanoïdes, peut-être un peu plus sages ou plus utopistes que ceux de la surface. Nous avons voulu protéger une partie de cette espèce dont le but essentiel et constant semble être de se détruire elle-même. »

— En réduisant les hommes en esclavage, en leur interdisant toute communication avec leurs semblables.

— Ce sont des mots. Nous les protégeons contre eux-mêmes, ils n'ont aucun désir de connaître le monde de la surface pour la simple et bonne raison qu'ils en ignorent l'existence. Ils ont ici tout ce qu'ils peuvent désirer, ils ignorent la

(1) Cité par Serge Hutin dans « Les civilisations inconnues », bib. Marabout.

famine, la maladie... il fait toujours beau, le ciel sans étoiles leur évite les tentations de conquête cosmique qui harcèle les tiens... Que leur faut-il de plus ?

— Mais de quel droit faites-vous cela ? On ne peut faire le bonheur des hommes contre eux-mêmes.

— Ce n'est pas aussi simple que tu le crois, nous ne faisons que continuer une œuvre qui date de plusieurs millénaires. En revenant en arrière et, en admettant que cela soit possible, si nous autorisions les Edeniens à communiquer avec la surface, nous anéantirions toute une méthode d'existence. Les hommes vivent beaucoup plus que tu ne parais le croire avec leur passé, avec leurs traditions. Nos grands ancêtres, ceux qui fondèrent Edena, vécurent jadis eux aussi à la surface, ils ont analysé les civilisations qui s'y sont succédé. Ils ont assisté aux dégradations de l'espèce au fur et à mesure des « progrès » réalisés. Il était à prévoir qu'un jour l'espèce entière s'anéantirait elle-même et ce fait, il suffit de regarder autour de soi pour se rendre compte qu'ils avaient raison. Ton espèce a les moyens de se détruire elle-même, tu ne peux l'ignorer, tous les gens sensés (à souhaiter qu'il y en ait encore) peuvent le constater ; en admettant même qu'elle n'utilise pas les armes absolues dont elle dispose, elle finira fatalement par disparaître par suite de la dégradation accélérée que subit son milieu ambiant, la nature s'étiole, s'épuise et si les hommes ne changent pas, et malheureusement rien ne laisse à penser qu'ils changeront, elle finira par mourir ; déjà presque toutes les mers intérieures et les grands lacs américains ou autres sont incapables d'entretenir la vie, l'eau se fait rare, les sources, les rivières, les fleuves sont pollués. Or si la vie disparaît dans l'eau et plus particulièrement dans la mer, elle disparaîtra inéluctablement de la terre. Les Edeniens eux au moins, grâce à nous seront épargnés.

— Pourquoi dis-tu toujours « ton espèce » comme si toi-même tu n'en faisais pas partie ?

Talma eut un bref sourire, puis enchaîna :

— Parce qu'en effet nous n'en faisons pas partie. J'appartiens au peuple de Vlasta. Nos lointains ancêtres vinrent jadis d'une planète nommée Altaha dans la constellation que vos astronomes appellent Perseus et qui est située à environ 7 340 années-lumière de la Terre. Ils durent la quitter à la suite de la mort de leur soleil il y a de cela plus de 10 000 de vos années.

— Quelle incroyable histoire !

— C'est pourtant la nôtre... Après bien des péripéties, nos ancêtres, à la suite d'événements effroyables que je te conterai plus tard, furent amenés à bâtir Tatimie.

— J'admets que j'ai beaucoup de mal à croire à ton histoire, Talma, mais il faut bien me rendre à l'évidence, ton récit, les images que j'ai vues sur cet écran m'ont convaincu, mais qu'est-ce au juste qu'Edena ? Pourquoi suis-je ici ?

— Nul homme de la surface et de ton époque n'a jamais vu ce que tu as vu sans mourir. Votre civilisation dispose hélas de moyens techniques et d'armements qui peuvent mettre notre existence en péril... nous ne pouvons prendre de risques...

— Alors, pourquoi suis-je vivant ?

Talma hésita un moment, parut gênée, baissa les yeux puis poursuivit :

— Parce que je t'ai sauvé malgré l'avis des miens et contre leur volonté. J'ai transgressé notre règle... Lorsque je t'ai vu te débattre contre les éléments déchaînés, lorsque j'ai vu ton visage... quelque chose s'est déclenché en moi, que je fus incapable de contrôler. Je t'ai sauvé et ai tenté de dissimuler ta présence aux miens en te cachant parmi les Edeniens.

— Tu devais bien te douter que je me poserais des questions, que je n'accepterais pas mon sort, que je tenterais tout pour comprendre et rejoindre le monde d'où je viens.

— Je dois avouer que j'ai mésestimé ceux de ton espèce... Les Edeniens ne se comportent pas comme toi, ils acceptent, ils se résignent, et il faudra bien que toi aussi tu acceptes, car jamais tu ne pourras rejoindre la surface. Le Conseil sait maintenant que tu es en vie.

— Comment ? Tu crois que je vais accepter de vivre ici, terré comme une bête à me cacher sans cesse ?

— Mais tu vivras !

— Tu connais bien mal les miens, Talma,

s'écria Jacques en se levant brusquement. Il faut que je leur parle, il faut qu'ils m'écoutent.

— Ils ne t'écouteront pas... la survie de Tatimie est bien plus importante que ta propre existence.

— C'est un risque à courir et je suis décidé à le courir ; mais enfin, Talma, essaie de comprendre, à quoi cela me sert-il de vivre dans de telles conditions... ? Je ne pourrais pas... je ne pourrais pas !

Il se sentit soudain faible, désarmé et se laissant choir sur le lit, oubliant toute pudeur il se prit la tête entre les mains et se mit à pleurer comme un enfant.

Talma, interdite, le regardait sans comprendre. Inconsciemment son bras se leva et elle passa sa main dans les cheveux du jeune homme. Il releva la tête, la dévisagea les yeux brouillés de larmes, un soudain désir de contact, peut-être de protection s'empara de lui. Il se rapprocha d'elle chercha ses lèvres. Une furieuse envie de la prendre dans ses bras, de tout oublier... peut-être aussi de se sentir pour un bref instant à nouveau fort, dominateur le saisit. Il renversa la jeune femme ses mains la débarrassèrent fébrilement de sa combinaison et furieusement, désespérément il la prit... ne cherchant point à comprendre, malgré tout ce qui les séparait, il n'y avait plus en ce moment précis qu'un homme et qu'une femme.

CHAPITRE VII

A peine Jacques et Talma eurent-ils repris conscience que la porte s'ouvrit brutalement découvrant une dizaine de robots. Talma poussa un cri en se levant brusquement et réajustant sa combinaison quelque peu malmenée. Jacques ne fit qu'un bond. Rapidement son regard fit le tour de la pièce, cherchant quelque chose qui pût lui servir d'arme. Il avisa le plateau qui flottait toujours entre sol et plafond et s'en saisit. Talma restait immobile.

Il se rua sur la première machine à forme humaine et lui en assena un coup terrible sur ce qui ressemblait à une tête; il y eut un bruit de verre brisé mais le robot ne broncha pas. Jacques eut le temps de distinguer l'un des androïdes qui levait le bras dans sa direction et d'entendre le cri de Talma...

— Non, ne tuez pas.

Une vive douleur lui irradia le corps... Il se sentit soudain incapable du moindre mouvement. Il mit quelques secondes à réaliser ce qui lui arrivait... Non, les robots ne l'avaient pas tué, il était paralysé, l'arme qu'il avait vue entre les mains de l'androïde était un paralysateur.

Pleinement conscient, il sentit les robots le saisir sous les épaules et par les pieds et l'entraîner, tandis que deux autres, encadrant la jeune femme, la forçaient à les suivre.

Ils empruntèrent une succession de couloirs très brillamment éclairés, traversèrent plusieurs salles au centre desquelles Jacques remarqua un pilier parcouru de frissons lumineux et au bas duquel se trouvait un tabulateur... Ils débouchèrent dans une salle circulaire, immense, une infinité de glaces rondes, comme des hublots en délimitaient le tour.

Une infinité d'alvéoles coupaient, divisaient, morcelaient la salle. S'il ne s'était su à des centaines, peut-être à des milliers de mètres sous la mer, Jacques aurait pu se croire dans un vaisseau spatial tel que les représentaient les films de fiction qu'il avait pu voir.

Enfin les robots s'arrêtèrent, ils déposèrent Jacques sur un fauteuil. Talma s'arracha à l'étreinte des androïdes et vint le rejoindre :

— Ne crains rien, Jacques, tu retrouveras bientôt l'usage de tes membres : ils ne t'ont que paralysé. J'aurais dû me douter qu'ils te retrouveraient, il est impossible de leur échapper. Les détecteurs ondio-biologiques t'ont repéré... peut-être est-ce mieux ainsi... moi non plus je n'aurais pu continuer à me cacher... Dans quelques instants tu vas pouvoir à nouveau te mouvoir et...

Talma n'acheva pas sa phrase... une dizaine d'hommes venaient de faire leur entrée. Jacques se souvint des images aperçues sur l'écran dans sa cellule, des fauteuils disposés en demi-cercle surgirent du sol, ainsi qu'une étrange machine... Les arrivants s'assirent sans rien dire. Ils étaient tous uniformément vêtus de la même combinaison, à leur poignet le même bracelet. A l'exception d'un homme qui paraissait très âgé, il était presque impossible de donner un âge aux autres, comme de lire un quelconque sentiment sur leurs visages de marbre.

Peu à peu Jacques sentit des picotements parcourir ses jambes et ses bras, bientôt il put bouger les doigts et en quelques minutes il put à nouveau remuer normalement. Il s'assit le plus confortablement qu'il put et sa main chercha celle de Talma qui s'était posée sur son épaule, leurs doigts se rejoignirent puis s'étreignirent.

Les robots reculèrent de quelques pas.

« Les voilà donc ces Bahalim, Maîtres absolus de Tatimi », pensa Jacques.

— Oui nous sommes les Bahalim, dit alors le vieillard d'une voix monocorde, comme s'il avait lu dans les pensées du Terrien ; les gardiens d'Edena. L'une des nôtres et non des moindres t'a soustrait à nos lois impérieuses. Nul ne doit connaître l'existence du dernier havre de paix qui existe encore sur la planète Terre...

— Mais je n'ai pas demandé à y venir, moi, dans votre « paradis » s'insurgea Jacques, vous ne pouvez l'ignorer. Je n'étais plus qu'à peu de distance de mon but, vous qui semblez tout savoir, est-ce ma faute à moi si ma traversée a coïncidé avec l'envol d'un de vos engins ?...

— Il n'est point question de rechercher des responsabilités. Tu as vu ce qu'aucun homme de la surface ne doit voir sans mourir, nos lois sont ainsi faites et elles sont fort sages. A l'heure présente tu devrais être mort... tu ne dois qu'à l'inconscience, à l'irresponsabilité ou à la sentimentalité, ce qui revient au même, de l'une des nôtres, d'être encore en vie ; elle devrait être punie...

— Elle doit l'être, fit une voix dans l'assistance...

— Or il se trouve, poursuivit le vieillard, sans paraître remarquer l'interruption, que Talma est ma fille et qu'à ce titre elle est après moi la dernière descendante de Nahua.

— ?

— Nous savons que Talma t'a révélé nos origines... Nahua était le chef de l'escadre spatiale qui quitta Altaha il y a aujourd'hui très exactement 9 480 années, avant la naissance de celui que vous dénommez le Christ. Il n'était pas seulement un chef par le grade, mais aussi par l'intelligence car il fut l'un des plus grands savants de notre monde et c'est à lui que nous devons les plans de la construction dans laquelle tu te trouves aujourd'hui. Les Altahiens à l'origine ne désiraient pas s'implanter sur ce monde, ils ne le firent que parce qu'ils y furent contraints par des événements que tu sauras par la suite... Et si aujourd'hui nous aussi, comme ceux que nous protégeons sommes contraints de vivre sous la mer, c'est par votre faute, du moins par la faute de vos ancêtres.

« Nous avons eu beaucoup de mal à créer ce havre de paix et nous ne permettrons jamais que ceux de la surface nous découvrent. Or volontairement ou non tu as percé notre secret et pour cela... la loi... etc. La loi ne prévoit qu'une seule peine, ajouta-t-il après un long temps de silence en dévisageant un à un les autres Bahalim : la mort. »

L'un des hommes se leva et vint se placer face à Jacques.

— Tu aurais dû mourir dans la tempête que nous avons déclenchée or Talma t'a sauvé de la noyade. Nous savons également qu'elle t'a déposé sur la plage de l'île d'Edena afin que les habitants te portent secours. Nous savons chez qui tu as été accueilli...

— Pouvez-vous en vouloir à Kol et à Icha d'avoir été secourables, n'est-ce point l'une des vertus que vous leur enseignez ?

— Si fait, mais tu as semé le doute dans leur esprit. Avant ton arrivée ils ignoraient tout du monde de la surface. Ils vont maintenant douter de nous, sous-estimer notre puissance, peut-être, qui sait, un jour se rebeller... ils se posent des questions qu'ils ne se sont jamais posées...

— Tout le monde a le droit de se poser des questions.

— Pas quand il n'y a pas de réponse... ou que ces réponses risquent de compromettre tout un équilibre, toute une société.

— Une société artificielle.

— Qu'a-t-elle de plus artificiel que la vôtre, monsieur Dol ? sourit l'homme sans paraître s'énerver. Qu'est-ce que le bonheur en fin de compte si ce n'est trouver la satisfaction en ce que l'on a. Ces êtres, je puis vous l'affirmer, sont heureux, du moins l'étaient-ils avant votre arrivée. Ils ont un dieu inconnu qu'ils vénèrent, un dieu avec qui ils sont en contact permanent grâce à notre intermédiaire. Ils adorent un créateur sans nom et qui en est réellement un. Ils ignorent l'argent qui sur votre monde pourrit tout. Ils ont des joies et des plaisirs simples. Ils ne connaissent point l'envie, il n'y a point de riches ni de pauvres, chacun ici a l'impression d'être utile. C'est chez vous que les valeurs sont vraiment artificielles, celle d'un homme se chiffre, elle ne s'apprécie pas. Des savants, des poètes, des artistes connaissent la misère, voire le mépris alors que vous idolâtrez vos industriels, vos banquiers, vos chevaliers d'industrie... Réfléchissez, Monsieur Dol, est-ce votre société ou la nôtre qui est la plus valable ?

Sans grande conviction Jacques allait objecter

que... mais le Bahal ne lui en laissa pas le temps. Il continua, arpentant la salle de long en large :

— Vous ne respectez rien, les sentiments les plus nobles sont tournés en dérision. Vous n'aimez pas, vous faites l'amour. Vous attachez plus d'importance à la beauté physique qu'à la beauté morale alors que l'une ne peut, selon nous, aller sans l'autre. Vos femmes se prostituent au nom de l'égalité des sexes, vous confondez liberté et licence...

Bien que l'homme l'énervât prodigieusement, Jacques devait reconnaître qu'il avait en grande partie raison. Mais qui étaient-ils lui et ceux qui l'entouraient pour parler ainsi en souverains juges ? Etaient-ils sans défaut ? Se prenaient-ils vraiment pour des dieux ?

— Nous avons réussi à épargner tout cela en Tatimie, dit un homme. Sans doute nous craignent-ils, nous l'avons voulu ainsi, nous sommes un peu leur conscience, car la vôtre, si tant est que vous en ayez une, est étouffée selon l'instant et selon vos intérêts, vous confondez aisément le bien et le mal...

L'homme s'exaltait en parlant et le vieillard que l'on nommait Zaken lui fit signe de se taire :

— Il n'est pas dans nos intentions de te faire un cours de morale mais tu as le droit de savoir pourquoi nous sommes obligés de te supprimer.

— C'est très aimable à vous, tenta d'ironiser Jacques.

— Quand tu sauras comment nos ancêtres

furent contraints de créer Tatimie, peut-être comprendras-tu un peu mieux pourquoi nous fûmes amenés à formuler de telles lois.

— ... Des lois qui ne vous concernent pas, des lois que vous imposez aux autres... Libres à eux s'ils les acceptent, libres à eux de trouver leur bonheur en s'y soumettant, mais je ne vous donne pas le droit de me les appliquer... Encore une fois je n'ai pas demandé à venir...

— N'en fais pas un leitmotiv... Sans Talma tu serais mort et ni nous ni les Edeniens ne serions obligés de nous poser de questions à ton sujet. Seul le Conseil est juge et décidera avec l'appui des ordinateurs du sort qui te sera réservé. Auparavant, Zaken, descendant de Nahua fils d'Altaha, va te conter notre histoire.

L'homme se tut et alla rejoindre son siège. Il s'écoula un assez long moment que Jacques mit à profit pour observer les lieux... Il avait noté quelques détails infimes au cours du monologue du Bahal mais qui pouvaient avoir leur importance... Il avait appris que les Bahalim allaient de temps à autre à la surface, ils envoyaient des fusées, donc il y avait un moyen de quitter Sod... Il fallait que Jacques le trouve... et vite. Pour le moment il ne voyait autour de lui que des robots, des machines et ces hommes... Aucune issue. Une fugitive panique le saisit puis une phrase lui revint en mémoire. « L'homme se doit de refuser le désespoir : plutôt se fier aux miracles que se résigner (1) ».

Zaken à son tour prit la parole.

— Je t'épargnerai le récit des causes qui poussèrent nos ancêtres à quitter leur monde originel, sache seulement que leur civilisation avait de bien loin dépassé le stade de la vôtre. Les déplacements cosmiques ne posaient plus pour eux de problème, ils avaient depuis longtemps vaincu le temps. Ils avaient à ce point la maîtrise de toutes sciences que nous-mêmes, leurs descendants, après avoir beaucoup oublié, ne sommes pas encore revenus au stade qu'ils avaient atteint. Malgré leur science et leurs techniques, ni les hommes ni les machines ne peuvent jamais tout prévoir, quarante appareils contenant chacun deux cents couples sélectionnés pour leurs qualités physiques et morales ainsi que pour leur exceptionnelle intelligence, quittèrent Althaha 41 Uroz de l'ère Tantara des Persens. Ils voguèrent très longtemps dans le subespace et pour une raison que nous ignorons encore, 39 appareils s'égarèrent. L'énorme ordinateur central qui équipait l'appareil commandant emportant Nahua ne conserva aucune trace de cette disparition. Peut-être furent-ils perdus corps et biens, ou bien s'égarèrent-ils dans le subespace et parvinrent-ils à aborder d'autres mondes. Toujours est-il que si

(1) ?...

ce dernier cas s'est produit nous n'avons jamais réussi à entrer en contact avec eux ni eux avec nous... mais là n'est pas le problème qui nous occupe en ce moment.

« Lorsque Nahua émergea du subespace pour pénétrer dans votre système solaire, il ne fut pas long à constater que le vaisseau qui l'emportait ainsi que les autres couples ne serait bientôt plus en état de fonctionner sans qu'aucune des machines et des ordinateurs ne soient capables d'en donner les raisons précises. La seule planète du système qu'il avait abordée et qui fût susceptible de reproduire les conditions atmosphériques de type Altahien était la vôtre.

« Après avoir exploré ce monde en tous sens, il décida de poser l'appareil sur une île qui émergeait alors de l'océan que vous nommez Atlantique sans doute en souvenir de cette île aujourd'hui disparue. Notre temps de vie est beaucoup plus important que le vôtre, nos ancêtres l'utilisèrent à recréer sur cette planète un univers qui pût ressembler parfaitement au leur.

« Bien sûr, ils eurent des contacts avec les Terriens de souche humanoïde comme eux. Toujours ils évitèrent de leur faire part de leurs origines extra-galactique. Les techniciens, les chercheurs travaillèrent d'arrache-pied pour tenter de réparer le vaisseau spatial, en vain... la gravitation exceptionnelle de votre planète aurait nécessité une dépense énergétique telle qu'elle était impensable. Ils durent se résigner, jamais ils ne pourraient quitter la Terre.

« A cette époque, tes coplanétriotes n'étaient encore qu'au stade du nomadisme. Curieusement nos ancêtres s'attachèrent à ces êtres qui leur ressemblaient comme des frères. Ils étaient simples, frustes, ils décidèrent de les aider malgré l'avis des ordinateurs qui eux, à l'abri des sentiments, pouvaient « juger » impartialement. Ils montrèrent aux hommes comment domestiquer les animaux, ils leur enseignèrent à extraire des entrailles de la terre les minerais dont ils firent les instruments agraires, ils les enseignèrent dans l'art de construire des maisons. Ils canalisèrent la crainte que leur inspiraient les éléments et les forces naturelles en une religion primitive qui sacralisa l'union des couples... en un mot comme en cent, ils leur apportèrent tous les éléments qui selon eux devaient les conduire progressivement vers le bonheur.

« Qu'ai-je besoin de te développer la suite, Jacques, n'importe quel manuel d'histoire la rapporte bien plus fidèlement que je ne pourrais le faire. Les hommes, tes frères, ne retinrent dans les enseignements des nôtres que tout ce qui pouvait servir leurs plus bas instincts. Ils transformèrent leurs outils en armes, ils inventèrent la propriété, instituant du même coup l'envie, le vol et le meurtre... toute leur progression ne fut qu'une longue trace sanglante sur le sillon des siècles... A plusieurs reprises nos ancêtres tentèrent de les ramener à la raison car malgré leurs défauts et leur nature incompréhensible ils les aimaient... Ni la menace, ni même les représailles auxquelles ils durent recourir n'y firent, les hommes continuèrent de plus belle allant même jusqu'à entrer en guerre avec les Altahiens.

« Bien sûr, nos ancêtres auraient aisément pu les détruire, ils ne le firent pas... C'est alors qu'un autre événement, naturel celui-là intervint... une catastrophe sans précédent devait frapper la Terre et ses habitants. Depuis longtemps déjà les astronomes Altahiens suivaient dans l'espace l'approche d'une énorme météorite... Selon leurs calculs, elle devait frôler la Terre, provoquant raz de marées et secousses telluriques, mais mis à part les dégâts provoqués, les conséquences n'auraient pas dû être catastrophiques pour l'humanité.

« Mais leurs calculs se révélèrent faux et quelques mois seulement avant que la catastrophe ne se produisît les ordinateurs calculèrent que l'astre errant ne frôlerait pas seulement la Terre, mais la heurterait de plein fouet. Les Altahiens tentèrent de prévenir des hommes, mais ceux-ci ne les écoutèrent pas, bien au contraire, ils s'emparèrent de nombre des nôtres et les massacrèrent. La réaction de nos ancêtres fut terrible et conforme à la décision prise par les ordinateurs plus sensés qu'eux. Les hommes n'étaient que des prédateurs, incapables du moindre sentiment d'amitié et de reconnaissance; ayant fébrilement aménagé une base sous-marine à l'abri de l'impact du météore, les Altahiens montèrent une gigantesque opération vengeresse. Pour la première fois, depuis des millénaires sans doute, une rage meurtrière les animait. Ils décidèrent d'anéantir tout ce qu'ils avaient créé. L'amour qu'ils avaient toujours manifesté envers ces êtres s'était mué soudainement en une haine féroce. Je dois avouer, ajouta Zaken un ton plus bas, que cette page de notre histoire ne nous fait pas honneur. »

— Nous avons rattrapé notre erreur, si cela en fut une, coupa une voix, et le jugement que portaient les ordinateurs n'a pas changé depuis cette date. Nous avons étouffé chez ces êtres les mauvais penchants mais nous savons bien qu'en quelques semaines si nous les laissions faire tout recommencerait. Le passé, l'histoire des Edeniens est celui que nous leur avons fait et que nous ferons. Ces hommes-là sont véritablement notre œuvre, ils sont différents des autres et ils le resteront, mais que Zaken m'excuse de l'avoir interrompu et qu'il continue son récit.

CHAPITRE VIII

— Chacun des piliers que tu as vus dans les différentes salles que tu as traversées est un condensateur tellurique et magnétique. Il restitue sous forme d'ondes les effluves du champ magnétique terrestre et les condense. Ce sont toutes ces forces réunies qui forment le dôme qui protège Tatimie.

« Nous sommes ici dans l'engin spatial qui amena nos premiers ancêtres sur ta planète et cette machine que tu vois derrière nous est le grand cerveau ordinateur qui dirigea l'expédition et qui nous aide encore aujourd'hui de ses conseils. C'est elle qui mit au point les méthodes de survie de tes semblables, méthodes que nous appliquons depuis des millénaires.

« Nous leur avons interdit le travail des métaux, sachant pertinemment qu'ils auraient fait des armes. Nous leur avons imposé notre invisible présence et institué un système de communication afin qu'ils sachent que nous sommes constamment là. Nous disposons de systèmes d'écoute et de vision dans chacun de leur village... enfin nous avons entouré le lieu où nous vivons d'une infranchissable barrière. Ils savent que nous existons, ils en ont les preuves constantes sans jamais nous avoir vus. »

— Mais comment ces hommes sont-ils arrivés ici ? coupa Jacques.

— J'y reviens. Ecœurés par le comportement de tes semblables, aveuglés par la colère, nos ancêtres se rangèrent à l'avis des machines. Utilisant leurs armes les plus meurtrières, ils anéantirent les plus grandes villes, ravagèrent particulièrement les régions européenne et méditerranéenne, ravages dont vos légendes et votre histoire devaient conserver le souvenir. Toute l'humanité tu t'en doutes bien ne fut pas détruite, mais la plus grande partie de ceux que les Altahiens avaient « civilisés » disparut.

« Notre histoire raconte que très peu de temps avant que le météore ne s'abattît sur la terre, une expédition découvrit une cinquantaine d'enfants errant parmi les ruines. Les femmes de notre peuple obtinrent à force de suppliques qu'on les recueillît. Ces enfants sont la souche des Edeniens actuels.

« Alors la météorite s'abattit sur la Terre, des continents entiers s'abîmèrent dans les mers, la croûte terrestre se fractura, se plissa pour former les hautes montagnes que tu connais... durant des siècles l'humanité régressa. Volontairement les Altahiens s'en tinrent à l'écart et peu à peu la marche en avant reprit son cours, avec son cortège de violences et d'exactions pour en arriver aux jours que nous vivons. »

— Pourquoi après la grande catastrophe ne pas avoir « libéré » ces Terriens rescapés ? Grâce à vos ancêtres, ils auraient continué une vie normale à la surface. Je ne comprends pas l'attitude des Altahiens : d'une part ils anéantissent presque une espèce et d'autre part ils en sauvent quelques-uns pour qu'elle se perpétue.

— Les Edeniens ne sont pas les mêmes hommes, ils en ont l'aspect physique mais ils sont psychiquement différents car ils ont été tenus à l'écart des passions.

— Croyez-vous que cela soit un bien ?

— Non seulement nous le croyons, mais nous en sommes persuadés car votre espèce disparaîtra sous peu, elle s'anéantira elle-même et les temps sont proches où votre « civilisation » s'écroulera... tout le laisse à penser... eux au moins survivront. C'était la volonté de nos grands ancêtres et nous la respectons.

— Admettons, mais pourquoi dois-je mourir ?

— Notre espèce est dotée de pouvoirs que les tiens désigneraient sous le terme de supranormaux. Il nous est facile de lire dans vos pensées et de prévoir vos réactions. Nous savons que tu n'auras de cesse tant que tu n'auras pas rejoint la surface. Les tiens se poseront des questions, ton navire a sombré corps et biens. Ils s'interrogent depuis longtemps sur les événements pour eux étranges qui ont eu lieu dans différents points du globe où nous avons des bases. Nous savons que depuis quelque temps toute une littérature fleurit à ce sujet, certains esprits moins obtus, ou moins rationalistes que les autres ont pressenti l'existence de « quelque chose » qui pourrait bien se situer au fond des océans. De là à le rechercher il n'y a qu'un pas.

— Vous avez peur des hommes! s'exclama Jacques.

— Nous connaissons leur irresponsabilité, repartit vivement Zaken. Ils disposent à présent d'armes presque absolues qui risquent de provoquer aussi notre déclin. Nous ne pouvons prendre ce risque... du moins pas maintenant. Tu le sais à présent, jadis trente-neuf de nos vaisseaux s'égarèrent dans le cosmos, nos récents travaux nous laissent penser que quelques-uns se sont posés sur d'autres mondes. Certains objets automatiques ont, nous le pensons, cherché à prendre contact avec nous, nos techniciens ont mis au point des appareils qui nous permettront sous peu de quitter ce monde, de voyager dans le subespace et tenter de les rejoindre... Ce sera là l'aboutissement de générations de recherche, nous n'avons pas le droit de compromettre nos chances de réussite.

— Vous comptez un jour quitter la Terre, que ferez-vous alors de ces hommes ?

— Nous les emmènerons avec nous...

— En êtes-vous bien certains ?

— Nous ne sommes pas les monstres que tu as l'air de t'imaginer, nous nous sommes attachés à ces êtres... Mais revenons à ton cas : tu connais trop de choses, Jacques, nous ne pouvons prendre le risque que tu puisses rejoindre les tiens. Même s'ils ne te croyaient pas dans l'immédiat, ton récit laisserait les traces... La décision de l'ordinateur est irrévocable, tu dois disparaître...

***

Talma qui jusqu'alors était restée muette, fit un pas en avant et dévisageant un à un les membres du Conseil, prit la parole.

— La loi des anciens ne dit-elle pas que les descendants de Nahua appartiennent à la race sacrée ?

— Si fait, dit Zaken ; mais...

— Que leur personne est intouchable ? insista Talma.

— Elle le dit en effet, mais tel n'est pas le cas de Jacques Dol.

— Que l'époux ou l'épouse de l'un d'entre eux est également sacré ? Jacques est mon époux et à ce titre je réclame pour lui l'application de la loi, poursuivit-elle.

— Toutes les Altahiennes se sont données à des Terriens lors de leurs visites à la surface, elles n'en n'ont point pour cela fait leurs époux.

— J'ai moi-même eu des amants terriens, mais je suis la seule descendante de Nahua, la seule à qui la machine ne commande pas le choix d'un époux, j'ai le droit d'élire qui je veux et je l'ai choisi lui... Qu'on interroge la machine et qu'elle donne son avis.

Jacques retenait son souffle, Talma s'était rapprochée de lui, elle lui prit la main qu'elle serra à la broyer et lui adressa un sourire qui se voulait rassurant.

L'ordinateur, l'intelligence mécanique, la machine à raisonner allait trancher et Talma savait que les Bahalim lui obéiraient. Enfin l'un d'entre eux se leva, il s'installa devant le tabulateur et programma les données du problème. Talma ne le quittait pas des yeux.

Quelques minutes plus tard, il introduisit une longue bande perforée dans les flancs de l'énorme machine. Il y eut une sorte de grésillements, de crépitements, des fils de lampes se mirent à clignoter à une vitesse folle puis une voix artificielle, une voix aux accents métalliques, impersonnelle, se fit entendre :

— L'homme de la surface est dangereux non point par lui-même mais par des incidences de son récit sur ses semblables. Talma, 29e descendante directe de Nahua mon créateur — suis chargé de la protéger — si elle considère l'étranger comme de son sang, ne peux rien vous conseiller qui lui soit préjudiciable (nouvelle suite de crépitements, puis la voix poursuivit :) Préconise solution moyen terme : interdire Terrien de rejoindre la surface, le maintenir surveillance constante, terminé.

Un long silence suivit les conclusions de la machine, puis Zaken se leva à nouveau.

— Force nous est de nous en tenir aux conclusions de la machine et de fait je pense que son avis est sage...

— L'appartenance à la descendance du Nahua dispense-t-elle ses membres d'obéir à la loi ? s'écria l'un des membres du conseil. Jamais nous ne nous sommes trouvés divisés. Allons-nous l'être aujourd'hui à cause de cet homme ? Nous disposons de notre libre arbitre que je sache ! La machine donne son avis, nous avons non seulement le droit d'exprimer le nôtre... je suis pour la mort, nous savons quel crédit nous pouvons accorder à ces créatures, toute leur histoire est une longue suite de mensonges et de parjures. Même s'il nous jurait de ne pas tenter de s'enfuir je ne le croirais pas.

— Et vous auriez raison ! s'écria Jacques hors de lui en se levant brusquement. Je ne suis pas Edenien, je ne suis pas un esclave, je ne vous reconnais pas pour mes maîtres... jamais je ne vous donnerai ma parole de ne pas m'enfuir...

— Jacques, je t'en supplie, tais-toi, souffla Talma à l'oreille du jeune homme.

— Non je ne me tairai pas... Je ne consentirai jamais à rester ici, sans rien tenter pour m'évader... je ne suis pas des vôtres...

— Jacques !

Il y avait quelque chose de tellement suppliant, de tellement attendrissant dans la voix et dans le regard de Talma, que Jacques se calma et rejoignit sa place.

— La réaction de l'homme de la surface est assez significative, ai-je besoin d'insister ! s'exclama le membre du Conseil. Procédons au vote.

Jacques sentait l'interrogation des Bahalim. La machine jusqu'alors avait toujours été catégorique. Il savait bien sûr que sa vie ne pesait pas lourd pour ces êtres, mais ils hésitaient. Les arguments apportés par Talma, la quasi-vénération qu'ils portaient à Nahua, au travers de ses descendants les faisaient hésiter.

Zaken se leva et se dirigea vers sa fille. Doucement il lui posa les mains sur les épaules et plongea son regard dans le sien.

— Talma... tu es l'une d'entre nous, tu es une Bahal... mais je n'oublie pas que tu es aussi femme et que tu es ma fille... Je ne m'explique pas ton attitude... Quel homme d'ailleurs, quel que soit son âge, pourra jamais comprendre une femme ?... Que cet homme ait été ton amant, quelle importance. Comment peux-tu le considérer comme ton époux et ce faisant poser un tel problème à la machine... ? Ne te rends-tu pas compte que tu mets en jeu tout l'avenir de notre Société ?

— Pourquoi tenterai-je d'expliquer un sentiment que je ne puis moi-même exprimer ? Ce qui m'attache à Jacques est indéfinissable. Je l'ai compris à l'instant même où je l'ai vu pour la première fois luttant contre les éléments sur son bateau. Il est différent des autres hommes. Il a le goût de la lutte, de l'aventure... il est sensible... il...

Zaken ne put s'empêcher de sourire malgré le tragique de la situation.

— Quelle fougue, mon enfant ! Quel homme est digne de susciter un tel amour ? Tu n'appartiens pas à leur espèce...

— Nos ancêtres, que je sache, n'ont jamais dédaigné leur contact, de nombreux hommes ont du sang altahien sans le savoir, n'est-il pas vrai ? Nous-mêmes les femmes d'Altaha...

Talma se tut, jetant un regard gêné du côté de Jacques... la jalousie des hommes de la surface était bien connue et elle jugea préférable de ne pas insister sur cette question plus que personnelle.

— Jacques, c'est à toi que je m'adresse, je veux que tu vives. Sans toi la vie n'a pas d'intérêt. Essaie de comprendre, nous sommes quelques femmes ici sur Sod, nous vivons dans un univers clos, quelques-unes d'entre nous ont eu la chance de rencontrer l'amour parmi ceux de notre peuple, mais ce n'est pas le cas de toutes... loin de là, ce n'est en tout cas pas le mien ; nous ne connaissons pas les règles étroites et hypocrites de ce que vous nommez morale, nombre d'entre nous, tu le sais à présent vont chercher... comment dire... des distractions, voire des consolations, parmi les hommes de la surface. Ce fut mon cas je te l'avoue ; ne m'en veux pas surtout... on se lasse de cette vie, j'aspire à autre chose, au bonheur que je n'ai jamais connu si parfois j'ai cru le tenir. Jacques, il faut que tu vives pour moi, j'ai besoin de toi.

Elle se releva brutalement faisant face au Conseil.

— Choisissez, frères d'Altaha, sa vie contre la mienne. Ce n'est plus la descendante de Nahua, ni la fille de Zaken que chacun ici vénère pour sa grande sagesse, ce n'est ni au père, ni au conseil que je m'adresse mais à des hommes, à des frères...

Elle se tut et posa le doigt sur la bouche de Jacques beaucoup plus ému qu'il ne voulait bien le laisser paraître. Durant de longues minutes les Bahalim se concertèrent se passant et se repassant la longue bande perforée sur laquelle s'était inscrite la « voix » de l'ordinateur. Enfin l'un des sages se leva :

— Qu'il vive. Telle est la décision du Conseil mais Talma en portera la responsabilité. Il la tient pour responsable des actes de l'homme de la surface.

Les sages se levèrent et sans ajouter une parole sortirent un à un de la salle. Les robots les suivirent et Jacques et Talma restèrent seuls.

Jacques contemplait, en silence, celle qui pour la troisième fois venait de lui sauver la vie. Elle était belle et ses yeux encore tout embués de larmes lui donnaient un charme de plus. Tout à l'heure devant des hommes, pourquoi ne pas l'avouer, il avait voulu « crâner ». Dans le fond de lui-même il était beaucoup plus attaché à la vie qu'il ne voulait le laisser paraître.

Il lui était donné de vivre une aventure exceptionnelle. Une aventure que seuls avant lui avaient connue Coudla le Beau et sans doute quelques prêtres de Saïs. Il ne pouvait rien contre la puissance de ces Bahalim ou de ces Altahiens, peu importe le nom qu'on leur donne. Il avait tout perdu, son aventure avait échoué... Alors, se résigner ? Pour le moment cela lui semblait encore impossible... Mais le temps efface bien des choses, comme il guérit bien des blessures.

— Tu es sauvé... sauvé, Jacques, mon amour, dit la jeune femme.

— En effet, tu m'as une fois encore sauvé la vie... et maintenant qu'allons-nous faire ?

— Oh ! tu verras... Sod n'est pas si inhospitalière que tu le crois, nous disposons de bibliothèques auprès desquelles, même celle d'Alexandrie ou celle du Vatican feraient pâles figures. Je t'apprendrai l'histoire véritable de ton peuple, tu verras les choses sous un angle différent, tu vivras comme tes ancêtres avant la grande catastrophe, tu connaîtras l'explication de toutes les choses inexplicables, nous avons des discothèques, des magnétothèques... et puis nous avons aussi la nature et puis surtout, mon amour, il y aura nous. Tu verras je te rendrai heureux, tu oublieras...

— J'espère, Talma, j'espère ! fit Jacques, caressant les cheveux de la jeune femme, qui s'était agenouillée devant lui.

Le jeune homme devait bien reconnaître que beaucoup de choses qu'avaient dit les Sages du conseil étaient exactes, même dans son cas personnel, il savait pertinemment que si « on » s'intéressait à lui, ce n'était que pour le profit que l' « on » pouvait tirer de son aventure. S'il avait réussi, les journaux se seraient arraché son récit afin de vendre un peu de merveilleux, marchandise qui se vendait bien dans un monde oppressé, inquiet, déséquilibré. Il aurait dû vanter à la radio, à la télévision telle marque de dentifrice, les mérites de tel fabricant de voiles ou de haubans, et puis, bien sûr, il serait retourné à l'anonymat... déjà, il se doutait bien qu'on ne parlait plus de lui, qu'il était presque oublié, sinon tout à fait.

Et puis, bien sûr, il y avait Talma... Il trouvait auprès d'elle quelque chose qu'il n'avait jamais connu... la sincérité ; il était certain de son amour, et lui-même ne pouvait s'empêcher d'un sentiment profond à son égard. Bien des choses le heurtaient dans la façon de vivre des femmes Bahalim, mais après tout, elles au moins avaient le mérite de la franchise ce qui manquait à bien des femmes de la surface qu'il avait connues, sinon aimées.

CHAPITRE IX

Et, en fait Jacques s'adapta beaucoup plus vite qu'il ne l'aurait pensé. Il avait traversé tous les états d'âme, bien sûr il n'oubliait pas le monde de la surface et bien qu'il fût presque heureux, il ne pouvait s'empêcher de penser constamment au moyen de s'évader d'un monde qui n'était pas le sien. Souvent il pensait à Kol et à Icha qui l'avaient recueilli, soigné comme un frère et il se demandait si des hommes de la surface en auraient fait autant. Il savait que là-haut, tout n'était qu'indifférence, égoïsme et jalousie et pourtant, avec tous leurs défauts, ceux avec qui malgré tout il était lié lui manquaient.

Au début Talma lui plaisait, comme lui avaient plu beaucoup d'autres femmes et, pourquoi ne pas l'avouer, il l'aurait abandonnée sans regret si à cette condition il avait pu regagner la surface... mais maintenant, il n'en était plus question. Pour la première fois de sa vie il découvrait l'amour et si son désir de s'évader était toujours aussi vif il n'envisageait plus de le faire qu'avec elle.

Souvent la nuit, il lui arrivait de la regarder dormir et alors il la trouvait encore plus belle que lorsqu'elle s'abandonnait à lui. Ses longs cheveux épars sur l'oreiller la faisait ressembler à un de ces anges tels que les imaginaient les peintres anciens. Une vague d'amour le submergeait alors lui donnant envie de pleurer. Dans un univers où il était prisonnier, contraint, il lui était reconnaissant de l'amour dévoué, confiant et presque admiratif qu'elle lui vouait. Il appréciait sa soumission car il se sentait fort et il avait besoin, lui l'opprimé, le condamné, de se sentir fort. Dans les moments de grand désarroi tous les hommes ont éprouvé ce sentiment.

***

Par moments, Jacques s'enfermait dans de longs silences. Talma savait alors à quoi il pensait, elle redoublait d'attention. Il n'avait pas envie de sortir, peut-être craignait-il de rencontrer ces Bahalim dont il était le prisonnier. Souvent Talma l'emmenait visiter les bibliothèques. Il restait de longues heures à compulser des ouvrages si anciens qu'on les aurait crus datés de la création du monde.

S'il avait eu des doutes sur l'étrange histoire que lui avaient contée Zaken et les Bahalim, ils étaient maintenant totalement évanouis. Il découvrait avec stupeur la véritable histoire des hommes. Les récits bibliques lui apparaissaient sous un jour différent. Il revivait les antiques civilisations qui avaient précédé Sumer, Haran, Ur et bien d'autres dont les légendes elles-mêmes ne conservaient plus le souvenir.

Talma, sans se lasser, commentait, expliquait... Il comprenait le rôle d'initiateurs qu'avaient joué les Altahiens. Un jour elle lui fit projeter un film. Il avait été pris à une époque si lointaine que les hommes les plus évolués en étaient encore à ce que l'on a dénommé par la suite : l'âge des cavernes. Il assista à la construction de l'ensemble mégalithique de Stonehenge en Angleterre, ce prodigieux ordinateur de pierres que les Altahiens avaient édifié afin d'aider les hommes à mieux prévoir les éclipses, les solstices et à comprendre les lois du Cosmos.

Il vit les pyramides de Testihucan, de Sakkara, l'ensemble extraordinaire des ruines de Tuahianaco, la tombe du pharaon de Palenque, l'observatoire Maya de Chichen Itza... qui à présent s'expliquaient... tout au moins pour lui car il savait que ses frères de la surface n'admettraient jamais ces explications, à supposer qu'un jour ils les connaissent.

Il sut combien la description de l'Atlantide faite par Platon était exacte car *il vit* le continent mythique sous les yeux... « plus grand que l'Asie et la Libye réunies »(1). Il comprit que la grande expédition qu'entreprirent les Atlantes vers le

(1) Platon : Timée.

sud, attaquant la Grèce, la Crète et Chypre et poussant jusqu'en Asie Mineure, avait été cette guerre punitive qu'avaient déclenchée les Altahiens contre les Terriens. Il eut sous les yeux les « Purana » hindoues qui décrivaient « une grande terre très puissante » se trouvant dans l'océan Atlantique. Les « Mahabharatam » comparables à la Bible et des documents asiatiques qui affirmaient que « l'empire de la mer d'Occident » fut englouti par les flots à la suite de terribles bouleversements... et tant d'autres qu'il est impossible de les énumérer tous.

Tout confirmait les dires de Platon. L'Atlantide aurait été engloutie par l'Océan, vers 9 500 ans avant le temps où vivait le philosophe grec... La vérité des affirmations des Altahiens était si criante que Jacques s'étonnait que malgré tous les éléments que les « hommes de la surface » avaient eus en main ils n'y eussent point cru. Même la collision avec l'astéroïde était mentionnée, voire décrite par Hörbiger et Much, on avait même pu déterminer l'angle de pénétration dans l'atmosphère. Les vastes cratères creusés en Amérique centrale, en Géorgie, en Virginie, en Caroline et au fond de l'océan Atlantique, au large de Porto Rico par d'énormes météorites en étaient la preuve (1). Le grand Temple de Tiahuanaco avait été brusquement interrompu. On avait pu établir

(1) Cité par Peter Kolosimo, *Terre énigmatique,* Albin Michel.

approximativement la date de la pose de la première pierre... Tout confirmait les récits des Bahalim : environ 9000 à 9500 av. le Christ !

C'était passionnant ! Mais souvent Jacques se demandait à quoi pouvait bien lui servir de connaître la Vérité, il songeait avec amertume que s'il pouvait avertir ses frères peut-être en tiendraient-ils compte ! et les enseignements du passé conditionnent souvent l'avenir. Mais à la réflexion il savait bien qu'ils n'admettraient jamais que d'autres civilisations les aient précédés, cela aurait compromis toutes les morales, toutes les religions, l'ordre enfin... et quoi de plus sacré que l'ordre ?

***

Peu à peu Jacques semblait reprendre goût à l'existence, s'habituer à la vie sur Sod...

— Notre vie n'est pas uniquement souterraine, dit Talma. Sod est grande. Il y a des plages, des salles de réunion, des cinémas, des théâtres un peu comme ce que tu as connu à la surface.

Talma s'en voulut aussitôt d'avoir prononcé ces mots. Pourquoi avoir évoqué un monde qui pour Jacques appartenait au passé, un monde qu'il semblait oublier. Elle lui jeta un regard à la dérobée, son expression n'avait pas changé.

— Espérons que l'on peut aussi bouger sous ton soleil artificiel, j'ai envie d'un bon bain.

— Oh oui ! tu as raison... allons nous baigner ! s'exclama Talma soulagée.

Ils sortirent de l'appartement, empruntèrent de nombreux couloirs, croisant un grand nombre de robots et quelques Altahiens qui ne leur prêtèrent pas attention. Ils passèrent devant une grande salle et par la porte entrebâillée qui fut vivement repoussée par un robot, Jacques eut le temps d'apercevoir une cinquantaine d'Altahiens complètement nus, allongés sur des tables ; au-dessus de chacune d'elle, une grosse lampe qui lui rappela celle des dentistes. Il émanait de ces lampes un large faisceau d'une luminosité verdâtre. La lampe bougeait de haut en bas irradiant tout le corps des patients...

— Qu'est-ce qu'ils font ? demanda Jacques.

— Rien... une sorte de... comment dirais-je, ils subissent une sorte de traitement...

Visiblement, elle ne désirait pas insister sur le sujet et Jacques rengaina ses questions... Un ascenseur les emporta jusqu'à la surface. Lorsque les portes coulissantes se furent ouvertes et que Jacques se retrouva dehors, il faillit pousser un cri de surprise. Il était émerveillé, jamais il n'aurait imaginé que l'île des Bahalim fût ainsi. Il n'en connaissait que les aspects extérieurs, il avait en mémoire ces abruptes falaises métalliques constamment parcourues d'éclairs fantomatiques et ces légendes horrifiantes véhiculées par les Tatimiens des quatre îles... En réalité Sod était un véritable paradis.

Des plantes inconnues aux fleurs multicolores et aux parfums enivrants jonchaient le sol en vastes massifs, elles étaient originaires d'Altaha et les descendants des cosmonautes extra-galactiques en prenaient un soin jaloux. De gracieux animaux également inconnus sur Terre et ressemblant à des antilopes détalèrent à leur approche. Quelques petits singes aux allures de jouets en peluche s'accrochaient aux branches des arbres, jouant, chahutant et se poursuivant sans cesse.

Talma cueillit un fruit de la grosseur d'une orange et le tendit à Jacques. D'abord hésitant puis encouragé par le sourire de la jeune femme il y mordit à belles dents. La saveur étrange en était fine et délicate, et une sensation de chaleur l'emplit peu à peu. Il offrit ce fruit à Talma qui y planta ses dents... et soudain, sans savoir pourquoi ils se mirent à rire. Pour la première fois depuis longtemps Jacques se sentait heureux, détendu. Il se pencha et embrassa longuement Talma, puis main dans la main ils se dirigèrent vers une petite crique un peu en contrebas...

— Qui sont tous ces gens ?

— Ceux de mon peuple, Jacques. Nous avons tous ici une fonction à remplir. Ils viennent se délasser après leur travail. Certains sont des biologistes, d'autres des physiciens, d'autres encore des forgerons qui surveillent le travail des robots.

— Des forgerons ?

— Qui sans eux pourrait fabriquer les outils

que nous remettons aux Edeniens ? Il y a aussi des mathématiciens, des océanologues, des vulcanologues, des ethnologues, des astronomes... des chercheurs.

— Pourquoi tout cela ? Que cherchez vous ? Je vous croyais heureux.

— Tous les humanoïdes, soutint Talma, semblent affligés de la même plaie, la curiosité... et puis, ajouta-t-elle plus bas, nous nous doutons, tout en le redoutant, qu'un jour les hommes de la surface finiront par découvrir notre existence, les richesses du sol seront bientôt épuisées et la course infernale à l'énergie que mènent tes frères les poussera fatalement à chercher de nouvelles ressources. La mer, les océans sont des sources quasi inépuisables tant sur le plan minéral, végétal, qu'animal. Les nodules découverts récemment par les tiens et qui jonchent le fond des océans sont une mine intarissable de minerais qui bientôt seront introuvables en surface. Les tiens ne sont pas encore prêts, pour le moment la pression énorme leur pose des problèmes d'exploitation, mais nous sommes convaincus qu'ils les résoudront.

— Qu'avez-vous à craindre des hommes ? Votre science, votre technique sont infiniment supérieures aux leurs.

— Certes, mais nous serons obligés de nous défendre, voire d'attaquer. Les tiens réagiront, eux comme nous, avons les moyens peu enviables de détruire toute vie sur cette planète ; et puis, tu le sais à présent, nous sommes à peu près certains que les autres vaisseaux altahiens que nous croyions perdus ont pu eux aussi, du moins quelques-uns, se poser sur d'autres planètes ; dès que nous aurons repéré l'une d'entre elles nous nous en irons, nous les rejoindrons et nous recréerons une civilisation qui nous soit propre. Pour cela nous avons besoin de chercheurs, de savants, de techniciens ; et puis nos croyances nous enseignent aussi que l'étude est nécessaire à la compréhension du cosmos et de la grande intelligence dont il émane, ne serait-ce que pour cette seule raison nous ne cessons pas d'étudier. Mais ne parlons plus de cela. Jacques il fait beau, je t'aime et je suis heureuse.

La jeune femme tendit ses lèvres, Jacques l'embrassa longuement. Etait-ce l'effet du fruit mystérieux, du soleil ou bien de cette nature idyllique qui l'entourait, il parut tout oublier. Main dans la main ils se mirent à courir dans l'herbe haute, laissant les plantes les caresser au passage. Bientôt ils atteignirent la crique ou une dizaine de couples se baignaient ou se doraient au soleil. Ils étaient tous entièrement nus et pour la plupart d'une beauté sculpturale.

Un instant décontenancé, Jacques réagit, il enleva ses vêtements tandis que Talma l'imitait et aussi nu qu'au jour de sa naissance, il plongea. Talma le rejoignit et corps contre corps ils nagèrent longtemps puis ils se laissèrent ensuite choir sur le sable de la petite plage.

Leur arrivée avait déclenché un mouvement de curiosité qui dura peu. Jacques ressentit profondément le mépris pour Talma qu'exprimaient les regards des Bahalim. Visiblement il sentait que ceux de son peuple la rejetaient. Autant ils comprenaient qu'une femme Bahal fasse l'amour de temps à autre avec un homme de la surface, autant ils étaient choqués que l'une d'entre elles, surtout Talma, descendante de Nahua, en élise un pour époux. Il savait qu'elle avait, elle aussi, une fonction sur Sod. Peut-être était-elle physicienne, biologiste, astronome ? Elle n'en parlait pas et il n'avait pas été sans remarquer son regard triste lorsqu'elle passait devant les centres d'étude.

Pour lui elle avait accepté d'être en butte à l'opprobre de ses frères, elle avait renoncé à ses recherches, et Jacques ne l'en aimait que davantage.

Talma cacha sa tête dans le creux de l'épaule de Jacques, sans doute pour ne point voir les autres couples. Doucement, il lui caressa les cheveux et releva son visage. Il plongea son regard dans le sien.

— Crois-tu que je n'ai pas remarqué ?

— Quoi donc, mon chéri ?

— L'attitude des tiens ! Ils n'admettent pas ma présence et surtout la mésalliance de la descendante de Nahua. Ils t'en veulent encore beaucoup plus à toi qu'à moi, n'est-ce pas ? C'est pour cela que tu es si triste par moments ? Tu finiras par regretter de m'avoir sauvé.

— Oh ! Jacques, pourquoi dis-tu cela ? Si je t'ai sauvé, je te l'ai dit c'est que je t'aime, que j'ai t'ai aimé dès le moment où je t'ai vu, je n'aime que toi et je n'aimerai plus que toi. J'ai choisi, je me doutais de la réaction de mes semblables. Oh ! et puis ne parlons plus de cela. Tu ne connais encore rien de Sod, tu n'y seras pas comme dans une prison, je ne te quitterai jamais. Peut-être un jour t'intéresseras-tu à mes travaux, peut-être y participeras-tu ?

— Tu sembles oublier le Conseil, je n'y ai pas que des amis, loin de là !

— Leur ressentiment s'atténuera... Tu n'es pas responsable, ils le savent bien, ils finiront bien par s'habituer à ta présence.

— S'habituer, peut-être, m'admettre, j'en doute !

***

Il y avait maintenant près de deux mois que Jacques se trouvait dans ce monde sous-marin. Talma lui avait fait visiter à peu près tout le tour de l'île. La méfiance du Conseil semblait s'être quelque peu relâchée.

Malgré son ressentiment bien légitime, Jacques manifestait le plus vif intérêt pour les réalisations des Altahiens. Par moments il lui arrivait de douter de se trouver à des milliers de mètres sous terre, tant « l'imitation » était parfaite. Les Bahalim n'étaient point pour cela coupés du monde extérieur, ils n'ignoraient rien de ce qui s'y passait.

Rien ne paraissait avoir été laissé au hasard. Jacques s'en aperçut bien vite. Grâce à leur apparence humaine les Altahiens étaient partout présents à la surface. Ils disposaient de puissants appuis car l'or, les pierres précieuses, pour eux sans valeur, leur ouvraient toutes les portes et achetaient toutes les consciences. Les moindres incidents diplomatiques, la plus petite révolution le plus infime mouvement de troupes étaient immédiatement signalés. Les ordinateurs qui occupaient à eux seuls la moitié des bâtiments souterrains de l'île travaillaient sans cesse à l'analyse de ces documents, ils calculaient les probabilités de conflits, les conséquences de tel ou tel acte, classaient, répertoriaient sans cesse... Les Bahalim surveillaient de très près les « progrès » scientifiques des hommes de la surface, « progrès » qui ne manquaient pas de les inquiéter. Ils n'ignoraient pas qu'ils disposaient d'armes terrifiques et qu'il régnait sur terre une paix artificielle qui ne reposait que sur la dissuasion et la terreur... Les actes des Terriens pouvaient avoir les plus graves conséquences et la pollution constante des rivières et des mers, si elle continuait finirait par leur poser de graves problèmes.

Mais si les ordinateurs « s'occupaient » des Terriens, ils n'en oubliaient pas pour autant Tatimie... loin de là !

— Tu veux savoir comment nous les tenons

sous notre contrôle, n'est-ce pas ? demanda Talma alors qu'au hasard d'une promenade ils passaient non loin d'un petit bâtiment hérissé d'antennes.

Cette faculté qu'avaient les Altahiens de lire dans les pensées stupéfiait Jacques, il n'en laissa rien paraître et confirma d'un sourire.

— Toutes nos sources de communications sont regroupées dans ce bâtiment communication-informations-réceptions et messages... tu vas voir.

Les deux jeunes gens durent subir de nombreux contrôles avant de pouvoir pénétrer dans une salle assez basse dont toutes les parois étaient recouvertes d'écrans.

— Les bâtiments que tu distingues sur ces récepteurs sont les divers temples qui existent dans toutes les communautés édenniennes. Voici celui de Rischona, celui du village Olta en Edenie, celui...

— ... de la communauté à laquelle appartient Kol, je l'avais reconnu...

— En effet... ici tu vois l'intérieur de ces temples, et là, le logement des prêtres et des prêtresses, bien que le terme soit impropre. Observe bien les décorations des temples, comme des pièces... Chacun de ces motifs recèle une infinité de cristaux qui captent les images et nous les restituent. Elles dissimulent également des micros au moyen desquels nous leur parlons et leur donnons nos directives.

« Ici, poursuivit-elle, tu peux voir les « lieux » là où les Edeniens déposent les nourritures dont nous avons besoin pour notre entretien. Offrande presque symbolique d'ailleurs car beaucoup des produits que nous consommons viennent de la surface, d'autres lieux encore. »

— Quels lieux ?

— Nous disposons d'engins-sondes qui ont exploré bien longtemps avant vous, non seulement les abords, mais la surface de Mars et de Vénus. L'une des bases de notre alimentation est un petit champignon martien dont nous apprécions les qualités nutritives. Certaines plantes que tu as vues sur Sod viennent d'Altaha mais quelques autres viennent de Vénus. De la Lune nous avons rapporté de nombreux minerais énergétiques aux vertus proches de ceux utilisés par nos premiers ancêtres pour leurs déplacements dans le Cosmos et dans le subespace... Nous espérons grâce à eux pouvoir quitter la Terre et rejoindre les nôtres si le Maître de toutes choses nous y autorisait... ou nous y forçait.

— Vous croyez en Dieu ? fit Jacques étonné.

— Notre conception d'un être suprême est un peu celle que nous avons inculquée aux Edeniens...

— En vous faisant passer pour ses « Anges », sourit Jacques...

— Les hommes n'obéissent qu'à ceux ou à ce qu'ils craignent. Tout ce que nous avons fait jusqu'alors l'a été dans leur intérêt et en cas de destruction probable de l'espèce, eux au moins survivront... mais, je sais que nous ne sommes pas d'accord à ce sujet, ne nous disputons pas...

— Je n'en ai nullement l'intention, peut-être après tout, est-ce vous qui avez raison ?...

Talma parut un peu surprise par la réaction de Jacques mais elle ne dit rien. Prenant le jeune homme par la main elle l'entraîna vers d'autres salles situées sous la première. De nombreux robots vaquaient à de mystérieuses occupations.

— Cet appareil-ci déclenche les pluies là où on en ressent le besoin. Celui-ci permet d'accélérer la croissance des animaux... celui-ci commande au distributeur de semences, celui-ci encore accélère la germination des plantes. D'ici nous commandons aux chefs de village les repas traditionnels qui ont en général lieu deux fois par an, au printemps et à l'automne. Au cours de ces repas hommes et femmes absorberont des nourritures que nous leur offrons et qui contiennent des produits destinés à régulariser les naissances. Le nombre des Edeniens doit rester constant. Il en est de même pour les animaux mais il est vrai qu'à ce sujet les animaux sont bien plus « raisonnables » que les hommes.

— Vous avez vraiment tout prévu.

— Il le faut bien, vous avez un vieux dicton qui je crois résume bien la situation dans laquelle nous nous trouvons : « Qui veut voyager loin ménage sa monture ».

Après de multiples contrôles et après que Talma eût échangé quelques mots avec quelques

Altahiens qui, visiblement ne lui adressait la parole qu'à regret et affectaient d'ignorer la présence de Jacques, les deux jeunes gens quittèrent le bâtiment. Auparavant Talma lui avait montré l'énorme mémoire centrale qui contenait tous les renseignements sur chacun des Edeniens, ses origines, ses aptitudes, son groupe sanguin, ses capacités génitrices... Vraiment rien n'était laissé au hasard, les Altahiens pouvaient dormir sur leur deux oreilles, les machines veillaient, gouvernaient, prévoyaient, surveillaient.

Au reste que pouvaient bien avoir à craindre les Bahalim ? Ils étaient invulnérables et leur monde inaccessible. Sans aide Jacques ne pourrait jamais regagner la surface ! Cette aide il allait bientôt l'avoir, mais il ne se doutait pas, il ne pouvait se douter d'où elle viendrait.

CHAPITRE X

Il arrivait à Jacques d'être par moments pleinement heureux. Il oubliait lorsqu'il était seul avec Talma. Ils avaient obtenu du Conseil de résider en dehors du centre altahien. Avec l'aide des robots, ils avaient bâti une petite maisonnette de pierres en pleine nature. Au début, bien sûr, ils avaient été l'objet de la curiosité des autres. « On » était venu voir leur maison. Ils avaient entendu les rires narquois... ou peut-être envieux, mais ils n'en avaient cure.

Ils vivaient là heureux, objets des soins attentifs d'un robot qu'ils avaient appelé « Bébé ». Il s'occupait de tout, préparait leurs repas, entretenait l'intérieur. Jacques s'amusait à dessiner, à sculpter. Le matin, encore tout éreintés par leurs étreintes, ils regardaient les oiseaux qui venaient chanter sous leurs fenêtres. Les gazelles altahiennes s'étaient vite habituées à leur présence et ne s'enfuyaient même plus à leur approche. Les petits singes s'enhardissaient même jusqu'à venir entre les « mains » de Bébé dérober les fruits que Jacques et Talma allaient cueillir.

Jacques aurait aimé oublier tout, la surface, sa vie d'avant. S'il ne l'avait connue, sans doute se serait-il habitué à cette vie... Mais voilà, avec des « si »...

Zaken le vieux sage venait de temps à autre leur rendre visite. Il se méfiait de Jacques cela était visible, mais bien qu'il ne voulût point se l'avouer il éprouvait pour lui une sorte d'attirance. L'attitude de sa fille le surprenait, voire même le choquait, mais l'âge venant il avait acquis une philosophie à toute épreuve. Il n'avait jamais compris les réactions féminines, fussent-elles althahiennes et il s'efforçait de ne pas analyser celles de Talma.

La maisonnette était bâtie sur une colline et dominait la mer, on apercevait des criques et un petit lac noyé dans un brouillard constant. Il était isolé au milieu d'une vaste plaine et alors que les Bahalim fréquentaient assidûment toutes les criques, jamais Jacques n'en avait aperçu un seul de ce côté. Un soir, alors qu'ils allaient se coucher, il y eut un sifflement strident qui semblait provenir du petit lac. Jacques sortit vivement et eut le temps de distinguer une sorte de colonne luminescente au centre du lac, comme un tube à l'intérieur duquel s'élevait rapidement un long objet fuselé... une fusée... comme celle qu'il avait vue alors qu'il voguait sur le Poséidonis. La vision avait été fugitive et il aurait pu se croire le jouet d'une illusion, n'eût été l'attitude de Talma.

Alors que de silencieux éclairs déchiraient la nuit et que très haut Jacques distinguait nettement un orifice se découpant dans le dôme, elle s'était approchée et avait posé sa main sur son épaule. Le jeune homme, lui, ne détourna pas la tête... Il avait compris. La petite île qu'il apercevait sur le lac... La petite île dissimulait le « passage ».

Talma se montra encore plus amoureuse qu'à l'ordinaire. Elle aurait voulu le noyer dans un océan de plaisir afin qu'il oubliât tout. Elle dormit mal cette nuit-là et fut debout bien avant « l'aube ».

Lorsque Jacques vint la rejoindre sur la terrasse où « Bébé » avait servi le petit déjeuner, elle le trouva calme et détendu. Il l'embrassa longuement, tendrement et se mit à causer de choses et d'autres. Les oiseaux familiers et les petits singes moqueurs venaient chaparder jusque sur la table et bientôt Talma s'en voulut presque de ses inquiétudes.

— Il faut que je te parle, Talma. Ecoute-moi calmement. Tu t'es engagée pour moi. Au début, pourquoi ne te le dirais-je pas, je ne me sentais pas tenu par cette promesse et puis peu à peu je me suis habitué, résigné, plus facilement que je ne l'aurais cru... mais toi, Talma — Il prit la jeune femme par les épaules et plongea son regard dans le sien — toi tu n'es pas heureuse, et à cause de moi...

Tu dis des bêtises, dit-elle, essayant de détourner les yeux.

— Si par moments j'ai regretté la surface, si par moments, je la regrette encore...

— Alors tu n'es pas heureux...

— Toi non plus, Talma, tu n'es pas pleinement heureuse !

— Mais si je le suis ! Qu'est-ce qui te fait dire cela ?

— Tu ne me parles jamais de ta « fonction » ici à Sod... Tu dois bien en avoir une, puisque tu m'as dit que tous les Bahalim en avaient une...

— Ooui... bien sûr, balbutia Talma, visiblement gênée.

— Eh bien quelle est-elle ? Et comment se fait-il que tu ne l'occupes plus ?

— Mais mon chéri, parce que je n'en éprouve plus le besoin, je suis bien avec toi.

— Ne serait-ce pas aussi parce qu'on te l'aurait interdit !

Talma ne répondit pas. Une larme brilla dans ses yeux. Elle poussa un soupir.

— Le Conseil... enfin... les Bahalim ne jugent pas opportun que je les continue... Pour moi, c'est vrai... tu l'as deviné, Jacques, c'est terrible... je suis biologiste, je me passionnais pour mes travaux... ma place a été prise... je n'ai plus accès aux laboratoires... on m'en a interdit l'entrée...

— Pourquoi ?

— Mon attachement pour toi apparaît aux miens comme une trahison !

— Mais c'est ridicule !

Talma haussa les épaules.

Mets-toi à leur place, comment veux-tu qu'ils comprennent ? Ils s'estiment, nous nous estimons... supérieurs... et puis au travers des générations nous n'avons jamais oublié l'attitude des premiers Terriens à notre égard...

— Mais qu'ont à voir tes travaux là-dedans ?

— Je ne sais pas... peut-être ont-ils peur que tu ne parviennes quand même à t'évader de Sod et que, ayant vécu avec moi tu ne révèles « certaines choses »...

— Comment parviendrais-je à m'évader ? Le lac semble inaccessible, et puis même si j'y arrivais, si je « m'évadais » pour employer leurs propres termes, j'aurais bien d'autres choses à révéler que tes travaux de biologie, tu ne crois pas ? Non, Talma, je ne voudrais pas retourner le couteau dans la plaie, mais c'est à toi qu'ils en veulent beaucoup plus qu'à moi, en fait, c'est toi qu'ils punissent. Ne nous aveuglons pas, ma chérie... tout cela à la longue te deviendras insupportable, tu finiras par me haïr...

— Jamais... je préférerais..., elles s'interrompit brusquement.

— Quoi ? Tu préférerais quoi ?

— Oh rien !... Laisse-moi, Jacques.

— Fuir avec moi... dis, fuir avec moi ?

Talma ne répondit pas. Elle se dégagea de

l'étreinte de Jacques, se dirigea vers la fenêtre et s'absorba, ou feignit de s'absorber dans la contemplation du paysage.

Le jeune homme se tut, s'assit dans un fauteuil et prit un jus de fruit qu'il but doucement, le regard dans le vague. Talma réfléchissait profondément. Pourquoi aimait-elle cet homme ? Il n'était ni plus beau, ni plus intelligent que ceux qu'elle avait connus auparavant. Il l'attirait. Son amour ne s'expliquait pas. Au reste, si elle avait pu l'expliquer il n'aurait pas été sincère... on aime pas « parce que » ni « pour » on aime simplement... Elle aurait voulu ne pas l'aimer, voire le haïr. Elle s'efforça un instant de le chasser de ses pensées sans y parvenir... Peut-être avait-il raison après tout, ce qui l'avait fait l'aimer c'était ce sentiment, ce réflexe inhérent à la nature féminine de protection, d'instinct maternel. Il lui devait la vie, en le protégeant elle le dominait, elle se vengeait de tous ces mâles qui l'avaient possédée.

Il lui aurait été facile de garder Jacques : elle n'aurait eu qu'à lui faire subir l'épreuve de l'oubli, une machine aurait « nettoyé » son cerveau, il aurait tout oublié de son passé, mais elle ne pouvait se résoudre à cette émasculation psychique...

— Jacques, dit-elle enfin, laissons passer quelques jours, promets-moi que nous ne parlerons plus de tout cela.

— Si tu veux, mais tu sais bien que ce que je t'ai dit est vrai, tu souffres même si tu ne veux pas l'avouer, de te trouver reléguée au bas de ta société...

— Sois gentil, n'en parlons plus, veux-tu, dit-elle en lui offrant ses lèvres.

Et de fait, ils s'efforcèrent tous deux d'oublier. Ils faisaient de longues promenades. Les gazelles s'étaient habituées à eux et les accompagnaient. Les Altahiens n'étaient pas chasseurs et respectaient la vie sous toutes ses formes. Ils n'avaient pas cette notion de supériorité sur les animaux, qu'avaient inculquée aux hommes les grandes religions monothéistes et par moments Jacques avait l'impression que Talma comprenait leur langage... Il l'enviait secrètement, car inconsciemment il avait toujours rêvé de parler à un arbre, à une plante, à un animal. Il était persuadé que tout être vivant détenait une parcelle de cette grande intelligence cosmique créatrice de toute chose...

CHAPITRE XI

— Jacques ! appela-t-elle doucement.

Pas de réponse. Elle jeta un coup d'œil sur l'indicateur temporal : 5 h... jamais il ne s'était levé aussi tôt ; peut-être avait-il faim ou soif ?...

Elle attendit quelques instants, l'oreille tendue, tous sens en éveil, guettant le bruit rassurant de la présence de Jacques. Rien, nul bruit, seulement celui des battements de son cœur.

N'y tenant plus elle se leva. Enfila rapidement sa combinaison sans oublier la ceinture à la boucle étrange que Jacques trouvait si jolie. Elle passa à son poignet son récepteur-émetteur qui ressemblait à une montre, attacha un désintégrateur à sa ceinture et sortit de la pièce.

Bébé était là dans un coin attendant l'ordre qui « l'éveillerait ». Jacques n'était ni dans la grande salle, ni dans ce qu'il avait baptisé la cuisine... il n'était pas non plus sur la terrasse...

Un profond débat intérieur agitait Talma : quitter Sod ou plus rien ne l'a rattachait, suivre Jacques c'était se rayer de son peuple à tout jamais, mais ne la rejetait-il pas ? Vivre sur un monde qu'elle rejetait... oui, mais y vivre avec lui.

Le lac ! Elle pensa soudain au lac. Elle se souvenait brusquement de l'attitude de Jacques. En un éclair, elle se le représenta poussant un tronc d'arbre dans l'eau, le chevauchant et se mettant à pagayer de ses mains... se dirigeant vers le centre du lac... elle pensa à la barrière magnétique aux rayons mortels qui protégeaient le cylindre d'acier permettant l'accès au sas de sortie... et les robots... Il y avait les robots-gardiens, ces machines à tuer... Les Bahalim... ils n'interviendraient pas, au contraire. C'était pour eux l'occasion rêvée de se débarrasser de Jacques...

Elle se précipita au-dehors. Elle dévala la pente qui menait au lac. Son cœur battait à se rompre. Enfin, elle aperçut Jacques. Il était assis sur une grosse pierre et contemplait le lac...

— Jacques ! Jacques ! hurla-t-elle, en courant vers lui comme une folle.

Le jeune homme releva la tête, visiblement étonné de l'affolement de Talma qui en pleurant venait de tomber à ses genoux.

— Eh bien... qu'est-ce qu'il y a ? Pourquoi ces cris et ces larmes ?

— Je ne sais pas, je ne sais plus, parvint à balbutier Talma entre deux sanglots. Je me suis fait des idées... tu n'étais pas à mes côtés lorsque je me suis réveillée, alors...

— Alors tu as cru que je voulais tenter de m'évader !... N'est-ce pas ? C'est bien cela ?

Talma hocha la tête en signe d'assentiment.

— Que tu es sotte ! dit Jacques beaucoup plus ému qu'il ne voulait le laisser paraître. Je ne te quitterai pas, je te l'ai dit... Douterais-tu de ma parole ? Je ne me sens pas lié envers les tiens, mais envers toi, oui... Ecoute, Talma... je ne pourrais plus vivre sans toi... si je quitte un jour ces lieux, ce sera avec toi...

— Pardonne-moi, Jacques, mais j'ai eu si peur... nul ne peut approcher du sas... les anciens ont tout prévu... le lac est un piège mortel... tiens, regarde...

Elle ramassa une pierre et la tendit à Jacques...

— Lance-la, le plus loin que tu pourras vers le milieu du lac...

Il obéit et jeta la pierre de toutes ses forces. Immédiatement après l'impact l'enfer parut se déchaîner... les eaux se mirent à bouillonner, un roulement de tonnerre se fit entendre, dont l'écho se répercuta de colline en colline, des éclairs jaillirent du vaste cylindre de métal et les robots tournèrent la « tête » vers le point de chute, pointant vers lui leurs armes... Ils ne tirèrent pas, les ordinateurs immédiatement alertés avaient dû déterminer la nature de l'intrusion... Quelques instants plus tard tout était rentré dans l'ordre et le lac avait retrouvé son aspect habituel...

Jacques n'en croyait pas ses yeux. Une fois de plus il se rendit compte à quel point les Bahalim avaient tout prévu, ils se méfiaient de tout et pourquoi pas même d'eux-mêmes !

Les deux jeunes gens regagnèrent la maisonnette. Ils n'avaient pas envie de se parler. L'indifférence, voire l'hostilité dont ils se sentaient l'objet les rapprochaient. Ils s'assirent sur la terrasse et « Bébé » leur apporta une tasse de café. Talma réfléchissait, elle sentait Jacques malheureux et elle savait à présent qu'il souffrait à cause d'elle, elle ne l'en aimait que davantage. Ce fut Jacques qui rompit le silence.

— Franchement, Talma, en dehors de la parole que tu as donnée qu'est-ce qui te retient à Sod ?...

— Je ne sais pas... J'y suis née, je n'ai pas été si souvent que tu le crois « là-haut » et puis je ne pourrais pas vivre longtemps à la surface...

***

Jacques ne pouvait se douter que Talma ne parlait pas par images ; en effet aucun des Bahalim ne pouvait supporter longtemps l'atmosphère polluée de la planète. Au bout de quelques jours, de quelques semaines tout au plus, ils étaient victimes d'une sorte de leucémie qui ne disparaissait qu'à leur retour à Sod. Ils avaient trop longtemps vécu en vase clos et leur organisme s'était affaibli, mais bien sûr, c'était un fait qu'ils ne pouvaient exposer à un homme de la surface... ils se devaient de conserver leur prestige...

***

— Et puis j'espère toujours, poursuivit Talma, que Zaken et le Conseil m'autoriseront à poursuivre mes travaux, et à siéger au Conseil comme ma naissance m'en donne le droit. Je voudrais tant que tu puisses toi aussi y participer !

— Oh là là ! je n'y connais rien. Tu sais moi, en dehors de la mer, de la navigation...

— Je t'apprendrai... tu as déjà quelque chose en toi d'essentiel, ton amour de la nature et puis tu verras je...

Talma ne termina pas sa phrase. Une voix se fit entendre, elle provenait du thorax de « Bébé ». La jeune femme pâlit, elle venait de reconnaître la voix de son père.

— Nous t'attendons, Talma... Rejoins-nous dans la salle du Conseil...

— Bien père... je viens.

— « Bébé », dit Jacques abasourdi, équipé d'un système d'espionnage... ils ont osé... c'est abject... mais si Bébé ?... alors, il doit y avoir d'autres caméras, des micros... je ne sais où, sûrement un peu partout...

Jacques rentra comme un fou dans la maison, il se mit à remuer les meubles en tous sens... en effet, il ne fut pas long à découvrir que les murs, les plafonds, les sols étaient truffés de micros, d'objectifs... aucun de leurs faits et gestes n'avaient échappé aux Bahalim.

— Eh bien ! dit Jacques écœuré, ils n'attachent guère d'importance à ta parole !

— C'est abject !... Jamais je n'aurais pensé qu'ils osent faire cela !

— Ils ont pourtant osé... comme tu dis... Les « miens » ont tous les défauts, je veux bien l'admettre, mais les tiens ne valent guère mieux...

— Je vais me rendre auprès du Conseil, Jacques. Je leur parlerai... Peut-être m'appellent-il à siéger auprès d'eux. Puisqu'ils nous espionnaient, ils savent que nous nous aimons, que rien ne compte que notre amour. Ils cesseront, ils nous laisseront en paix, tu verras...

— J'ai autant de confiance en eux qu'ils en ont en nous !

— Tout s'arrangera, mon amour, mon père s'est sans doute laissé abuser, il n'aurait jamais permis cela !... j'en suis certaine... Attends-moi ici. Tu verras, tout cela va s'arranger.

Elle déposa un léger baiser sur le front de Jacques et s'éloigna...

***

Sitôt Talma sortie, Jacques s'efforça à se calmer. La première chose qu'il fit fut de déconnecter « Bébé » et bien qu'il sût que la « mécanique à forme humaine » n'était en aucune façon responsable, il lui administra un formidable coup de pied qui l'envoya bouler dans l'un des coins de la pièce. Puis il s'assit, se prit la tête à deux mains et se mit à réfléchir.

Pourquoi les Bahalim les espionnaient-ils ? S'ils

étaient si certains de leurs dispositifs de protection, ils n'en avaient nul besoin. Pourquoi interdisaient-ils à Talma de poursuivre ses travaux, sinon parce que les laboratoires se trouvaient dans les sous-sols de l'île et que c'était par les sous-sols qu'on accédait au sas de sortie.

Jacques aimait Talma, après s'être longuement interrogé, il en était maintenant certain. Il ne restait prisonnier de Sod que parce qu'elle était là, parce qu'il pensait qu'elle y était heureuse. L'attitude des Bahalim remettait tout en question. A quoi bon se sacrifier, même si le sacrifice était largement compensé par l'amour qu'il portait à la jeune femme !

Et brusquement la nostalgie de la surface lui revint. Fébrilement, il attendit Talma ; c'est elle, et elle seule qui déciderait de leur avenir.

***

Talma ne revint que quelques heures plus tard. La « nuit » commençait à tomber. Son visage était décomposé. Dès qu'elle aperçut Jacques, elle s'immobilisa un moment puis se mit à trembler de tous ses membres et se précipita en pleurant dans les bras de son amant. Il la serra contre son cœur et la consola comme une enfant. Avant même qu'elle parle, il savait ce qu'elle allait lui dire...

— Je descends de Nahua, tu le sais et à ce titre je suis membre du Conseil, tous ceux de ma famille le sont. Il siège souvent, toutes les décisions sont prises par lui avec l'aide du Grand Cerveau... et... — elle étouffa un sanglot — aujourd'hui les Bahalim m'ont refusé l'accès de la salle.

— Mais pourquoi ?... Je ne comprends pas... nous faisons pourtant tout ce qu'ils veulent. Nous vivons à l'écart. Déjà, ils t'ont interdit de poursuivre tes travaux, maintenant ils t'écartent du Conseil... on dirait qu'ils cherchent à couper tous les liens qui te rattachent encore à Sod.

— Oh ! mon amour, comme il faut que je t'aime pour supporter tout cela si tu savais !

— Je m'en rends compte... et c'est pour cela que par moments j'ai peur... peur que tu ne me rendes responsable de tout cela... que tu finisses par m'en vouloir... par ne plus m'aimer, je ne le supporterais pas !

— Jamais, Jacques... Je préférerais plutôt fuir avec toi...

— Mais, Talma, d'après toi c'est impossible...

— « Presque » impossible seulement... A quoi bon vivre ici ? Je n'ignore pas que tu as fait de gros efforts pour t'adapter, pour oublier... si, si, ne proteste pas, tu l'as fait pour moi... Tout cela en vain ! A quoi bon te contraindre, à quoi bon me contraindre moi aussi ! Viens, j'ai besoin de me recueillir, de faire le point sur moi-même, de réfléchir.

— Où veux-tu aller ?

— Tu verras, je vais t'emmener sur le lieu le plus sacré de l'île.

« L'endroit où repose le corps de celui qui fut l'un des plus grands de tous les humanoïdes et sûrement le plus grand des Altahiens, mon grand ancêtre Nahua. »

— Pourquoi veux-tu aller là-bas ?

— J'y allais souvent « avant ». Je me souviens même étant petite fille, chaque fois que j'avais un problème, un souci, un chagrin, j'allais auprès de lui. Je ne sais pas, je ressens quelque chose à ses côtés. J'ai l'impression que d'où il est il communique avec moi, qu'il me transmet quelque chose.

— Nous seuls pouvons prendre une décision. Je veux vivre avec toi toujours et je veux que tu sois heureuse... Regagnons la surface !

— Te rends-tu compte des problèmes que cela pose, Jacques... Outre, qu'accéder au sas est pratiquement impossible, comment vivrons-nous « là-haut » ? Le monde entier te connaît à présent. Comment expliqueras-tu ta longue absence, la disparition de ton bateau, les créanciers vont t'assaillir de tous côtés... la vie sera impossible... Non, il vaut mieux que je me résigne, que j'accepte...

— Mais c'est injuste ! Non, je n'accepterai jamais que tu te sacrifies pour moi, plus rien ne te rattache ici... le monde est grand... Bien sûr je n'ai pas d'argent.

— Ce n'est pas l'argent qui me préoccupe, il y a dans nos réserves plus de diamants, plus de pierres précieuses que la Terre n'en a jamais produit et n'en produira jamais...

— Alors, il n'y a plus de problème, avec l'argent on achète tout, je vivrai, nous vivrons, sous une fausse identité, tous les deux seuls, tu oublieras Sod !

— Viens, allons au mausolée de Nahua !

***

Presque au centre de l'île se dressait un petit monument aux formes étranges et torturées. Il était visible qu'il datait de plusieurs siècles, sinon de plusieurs millénaires. Entre deux colonnes, noyées dans un flot de plantes stylisées et d'animaux aux formes bizarres, inconnus sur terre, se dessinait une ouverture.

Un escalier aux pierres moussues et usées par le temps semblait s'enfoncer profondément dans le sol. Talma s'y engagea. Jacques compta plus de 100 marches avant qu'ils ne débouchent dans une petite crypte baignée par une lumière irréelle qui semblait émaner des murs eux-mêmes.

Jacques faillit pousser un cri tellement ce qu'il découvrait était saisissant. Sur un énorme socle paraissant taillé dans un bloc de cristal reposait un catafalque de matière transparente et à l'intérieur un corps allongé...

Talma tomba à genoux et posa son front contre le cercueil de verre.

Jacques, lui, ne pouvait détacher les yeux du corps étendu. Il s'approcha... L'homme semblait dormir, son corps était magnifiquement conservé.

C'est le visage surtout qui attira son regard... C'était hallucinant, c'était le même que celui de Talma...

— Talma !

— Oui ?

— Depuis combien de temps Nahua repose-t-il ici ?...

— Plus de 9 000 de vos années.

— C'est incroyable !... Un tel embaumement...

— Nahua, n'est pas embaumé...

— Comment ? Mais ce n'est pas possible... on dirait qu'il dort... qu'il va se réveiller.

— Nul ne sait comment son corps s'est conservé. Chaque peuple a ses légendes, tu sais. Le nôtre en a une particulièrement. Elle dit qu'un jour, le jour où nous aurons retrouvé la trace de nos frères perdus, il se réveillera, à nouveau il prendra le commandement. Tous les Altahiens dispersés se regrouperont et il nous emmènera vers notre but primordial, le but que lui seul connaissait. Tu sais, Jacques, ce que je vais te dire te paraîtra sans doute ridicule, mais j'ai par moments l'impression qu'effectivement il n'est pas mort, qu'il dort, qu'un jour il se réveillera. J'ai « entendu » une voix intérieure et je sais que c'était la sienne... et tout à l'heure encore... est-ce que tu me crois ?

— Bien sûr, je te crois, j'ai moi-même ressenti quelque chose d'indéfinissable ; je crois que Nahua te protège.

— Qu'il nous protège... Jacques, je voudrais te dire que...

Talma n'acheva pas sa phrase, un bruit de pas venait de se faire entendre dans l'escalier et quatre ou cinq Altahiens débouchèrent dans la salle.

— Sors d'ici Talma, hurla l'un d'eux. Comment oses-tu, toi, venir dans ce lieu saint... Toi, qui es la honte de notre peuple !

— Mais Nahua est mon ancêtre...

— Tu as choisi un homme de la surface, tu as transgressé nos lois, tu fais courir un péril mortel aux tiens... comment oses-tu encore te prétendre des nôtres... nous te rejetons... et toi — continua-t-il se tournant vers Jacques encore sous le coup de la surprise — tu mériterais deux fois la mort pour avoir profané notre lieu saint.

— Mais je ne vous permets pas...

— Tu n'as rien à nous permettre, tu ne dois la vie qu'a cette femme et à l'indulgence du Conseil et de la machine que beaucoup d'entre nous trouvent coupable.

— Tuons-le ! cria une voix.

— Il a raison, débarrassons-nous de lui...

L'un des Bahalim sortit un pistolet et coucha Jacques en joue. Celui-ci crut sa dernière heure venue. Lorsque tout à coup une voix forte résonna dans le crypte, la voix de Zaken.

— Hors d'ici vous tous ! Comment des Altahiens osent-ils se conduire ainsi devant un étranger ? Pour quelles raisons Talma n'aurait-elle point le droit de se recueillir sur la tombe de Nahua son ancêtre ?

— Mais Zaken !

— Sortez, vous dis-je !

Les Altahiens sortirent à regret rengainant leurs armes. Talma se réfugia dans les bras de Jacques. Zaken les contempla un instant en silence, puis sans ajouter un mot sortit à son tour...

Les deux jeunes gens regagnèrent la maisonnette. Le visage de Talma était grave, elle avait pris sa décision : ils quitteraient tous deux Sod... Mieux valait pour elle quelques mois de bonheur qu'une vie de recluse, de bannie parmi son propre peuple.

CHAPITRE XII

— La nuit, la surveillance se relâche quelque peu... du moins celle des éléments humains, dit Talma ; nous allons en profiter.

— Talma, mon amour, es-tu certaine de ne rien regretter, de ne rien me reprocher un jour ?

— Certaine, Jacques... Allez, viens, maintenant ma décision est prise... Avant de nous rendre au puits de sortie, il nous faut prévoir notre vie sur terre... Prends ce sac nous le remplirons de pierres précieuses... nous les monnaierons facilement...

Ils sortirent, Talma emmena Jacques dans un petit bâtiment où étaient entreposés diamants, turquoises et rubis. Le jeune homme n'en croyait pas ses yeux. C'était le seul endroit de l'île qui n'était pas gardé, ici ces cailloux étaient sans valeur !... Il eut tout le temps de regarder... Il y en avait pour des milliards. Les tas de diamants rivalisaient d'éclat avec ceux de topazes, de turquoises ou de rubis... Jacques emplit son sac à ras bord. Il faudrait dix vies pour dépenser tout cela !

— Ne perdons pas de temps... Dans quelques minutes les premiers Altahiens se réveilleront... Il nous faut profiter de l'effet de surprise !

Ils coururent tous deux jusqu'aux abords du lac. Talma, aidée de Jacques souleva une lourde plaque métallique qui masquait un escalier. Un étroit couloir menait jusqu'au cylindre de métal que l'on apercevait au milieu du lac. Elle appuya sur la paroi métallique. Un orifice se découpa dans la construction. Talma prit la main de Jacques. Ils posèrent pied sur une plaque qui se mit immédiatement à descendre, coulissant dans un tube dans lequel elle s'emboîtait parfaitement. Avec un claquement sec la plaque s'arrêta. Ils débouchèrent dans une salle basse dont toutes les parois de verre renfermaient une infinité de bobines tournant dans tous les sens à toute vitesse.

Ils le traversèrent en hâte pour parvenir dans une autre pièce contenant une dizaine de longs cylindres, des fusées toutes semblables à celle que Jacques avait vue.

Talma s'arrêta auprès de l'une d'elle, fit fonctionner le sas d'ouverture.

— Monte, commanda-t-elle.

Jacques obéit tandis que la jeune femme faisait jouer plusieurs touches sur un tabulateur situé à la base de la fusée ; ceci fait, elle le rejoignit.

Ils montèrent les échelons d'un petit escalier et pénétrèrent dans un réduit contenant juste deux sièges en face desquels se trouvaient quelques cadrans et écrans. Talma agissait vite, fébrilement avec des gestes saccadés, comme un automate. Elle abaissa une manette, enclencha plusieurs touches, les écrans s'illuminèrent et reflétèrent bientôt les images de Sod, et sur un autre, Jacques, avec un battement de cœur, aperçut la mer... la vraie... celle de la surface...

Il y eut un brutal sifflement qui alla rapidement en s'amplifiant, l'appareil se mit à frémir. Talma se coiffa d'un casque et fit signe à Jacques de l'imiter, les sièges basculèrent et adoptèrent la position horizontale.

A ce moment des sirènes se mirent à rugir et sur l'un des écrans ils virent des dizaines de robots envahir la salle. Il fallait faire vite, les Bahalim allaient réagir... l'alerte venait d'être donnée.

— Ne crains rien... en aucun cas les robots ne tireront sur un Bahal, ils ne peuvent le faire, seuls les miens le peuvent, mais je ne pense pas qu'ils osent tuer la fille de Zaken, la descendante de Nahua.

Avec un frisson de peur rétrospective, Jacques pensa que seul il n'aurait jamais pu s'évader de l'île des Bahalim; en un éclair, alors que les réacteurs se mettaient à rugir et qu'une ouverture se dessinait au-dessus d'eux, il comprit combien elle l'aimait et il en fut ému. Pour lui elle abandonnait tout.

Une voix que Jacques aurait reconnue entre mille se fit entendre, c'était celle de Zaken.

— Talma... reviens, nous te pardonnons, ne

suis pas cet homme, tu n'es pas terrienne, tu n'es pas faite pour vivre à la surface... reviens... tu sais que tu ne peux pas y vivre !

— Je ne peux pas... Oh ! père, je ne peux plus, je ne peux plus me sentir honnie par les miens, je veux être heureuse avec lui et je sais à présent que je ne peux l'être ici ! Toi-même qui es mon propre père n'ose plus prendre ma défense ! Père... comprends, essaie de comprendre... je l'aime...

— Talma, je...

D'un geste sec, les yeux embués de larmes, Talma coupa le récepteur... Elle enclencha encore quelques touches. Avec un rugissement l'appareil s'éleva du sol, bondit vers le ciel. Jacques eut le temps d'apercevoir quelques robots projetés au sol par le souffle des tuyères puis une vive douleur lui enserra les tempes. Il se sentit plaqué contre son fauteuil quelques brefs instants, il eut la pénible sensation d'étouffer, puis tout se brouilla autour de lui.

***

Lorsqu'il reprit conscience, il eut l'impression de traverser un épais brouillard bleuté. Sur les écrans il distinguait très rapidement Edena le royaume des Bahalim. Sur le côté de l'appareil qui les emportait, Talma et lui, une abrupte paroi. Edena était située au fond d'une énorme, d'une titanesque faille...

Tatimie devait se situer à une profondeur

inimaginable. Déjà on ne l'apercevait plus et ils « nageaient » toujours dans cette ouate bleutée, traversée par moments d'ombres énormes : cachalots, céphalopodes gigantesques... puis peu à peu l'eau se fit plus claire et bientôt dans un jaillissement, un éclaboussement, la fusée perça, éclata la surface de l'Océan et s'élança comme un oiseau à l'assaut du ciel.

A la surface c'était la nuit, les cieux étaient constellés d'étoiles et la lune majestueuse se reflétait dans l'eau calme du gigantesque océan. L'appareil se stabilisa entre ciel et mer comme si Talma avait hésité sur la direction à suivre, puis résolument il prit celle de la côte américaine.

***

Il était impossible à Jacques d'apprécier la vitesse. Une heure après, peu à peu, la côte se dessina, l'appareil perdit insensiblement de la vitesse et se posa sur une petite plage.

— Nous sommes environ à 200 km de Charleston, dit Talma en se détachant de son siège. Es-tu heureux ?

— Je le suis et je te dois de l'être, mon amour.

Il se pencha sur la jeune femme et l'embrassa longuement, puis ils sortirent de la fusée. L'air marin donnait à Jacques une impression de griserie. Il se laissa choir sur le sable et s'absorba dans la contemplation du ciel. Il n'avait jamais regardé les étoiles « avant » et il se rendait compte à présent à quel point elles lui avaient manqué. Il reporta ses regards vers Talma, elle s'était allongée à côté de lui... Elle aussi regardait le ciel et les étoiles se reflétaient dans ses yeux. Un instant il crut y voir une larme.

Tout à la joie de sa liberté retrouvée, il ne pensait pas qu'elle pût être malheureuse, tant il est vrai que l'homme ne juge le bonheur ou le malheur que par rapport à lui-même. Un moment, il eut envie de la prendre dans ses bras, de l'aimer là, sur le sable humide de la plage.

Il se leva et s'aperçut qu'il était toujours habillé de la combinaison que lui avait donnée les Bahalim... Il ne pouvait rejoindre la « civilisation » dans cet accoutrement, il s'en ouvrit à Talma.

— Ne t'inquiète pas, dit-elle en se levant à son tour, j'ai ce qu'il nous faut...

— Et la fusée... où allons-nous la cacher ?

— Là aussi tout est prévu, dit-elle disparaissant dans l'engin.

Au bout de quelques minutes Talma sortit de l'appareil. Elle tendit un costume à Jacques. Elle-même enfila une robe et passa un manteau, les Altahiens avaient tout prévu...

Jacques fut prêt en quelques minutes, le costume lui allait comme un gant. Dans un portefeuille il trouva une centaine de dollars et de la menue monnaie... et puis il y avait le sac, le sac plein de pierres.

Il leur fallait à présent regagner Charleston. Le jour ne tarderait pas à se lever. Il devait bien y avoir un village proche, de là ils trouveraient bien un taxi, ou même pourraient louer une voiture.

— Et la fusée ? risqua-t-il, il ne faudrait pas qu'on la repère.

— Ne t'inquiète pas de cela... les Bahalim sont des gens organisés, cela aussi est prévu... dans quelques minutes l'appareil s'autodétruira, il n'en restera aucune trace... même pas sur le sable... Notre fusée est partie sans accord du grand ordinateur, je ne dois sans doute qu'à l'intervention de mon père qu'elle n'ait été détruite en plein vol... Tu le sais, je suis une descendante de Nahua et à ce titre aucun Bahal n'oserait me faire du mal et à plus forte raison me détruire... Jamais je ne pourrai retourner en Tatimie. Nous en ignorons même l'emplacement exact. Les appareils sont guidés automatiquement par le grand ordinateur dès qu'ils en approchent à environ 500 km. Nul sans son aide ne peut retrouver l'île des Bahalim et des Edeniens... Viens à présent.

Elle lui prit la main et tous deux commencèrent à escalader le talus qui séparait la plage des petites falaises qui bordaient la mer. A peine avaient-ils atteint le faîte qu'une grande clarté déchira la nuit derrière eux. Jacques se retourna. A la place de la fusée il n'y avait plus maintenant qu'une longue traînée rougeoyante qui peu à peu s'estompa, le sac et le ressac effaceraient en quelques heures toute trace de l'appareil.

Jacques détourna la tête... Au loin dans le jour naissant, il distinguait une grande ville, sûrement

Charleston. A quelques centaines de mètres une autoroute encore déserte à cette heure-ci. Ils se dirigèrent vers elle. Talma portait « la » ceinture sur sa robe, ils auraient pu l'utiliser, pourtant elle ne le proposa pas. Jacques eut un pincement au cœur. En voilà une preuve, pensa-t-il, les hommes n'étaient pas encore capables de vaincre la force de gravitation (ou ne l'étaient plus), seuls les Bahalims d'Edena le pouvaient encore.

***

— Tiens, là, il y a un poste téléphonique, dit Jacques alors qu'ils atteignaient l'autoroute. Charleston est à 25 miles d'après la pancarte, nous n'avons qu'à appeler un taxi.

Ce qui fut dit fut fait, une heure plus tard le taxi les déposait en plein cœur de Charleston. Il était sept heures et bien peu de magasins étaient ouverts en cette heure matinale. Ils parvinrent à trouver un café dont le garçon occupé à arranger chaises et tables consentit néanmoins à les servir.

— Que comptes-tu faire, Jacques ? demanda Talma après avoir bu une gorgée de café et grignoté une biscotte sans appétit.

— D'abord vendre quelques pierres, nous acheter des cartes d'identité, puis nous envisagerons l'acquisition d'une petite maison, je ne puis retourner chez moi en France, j'y serai sûrement reconnu...

— Jacques !

— Oui.

— Il faut que tu me jures quelque chose.

— Quoi donc ?

— Que tu ne révéleras à personne l'existence du monde des Bahalim… je ne veux pas compromettre l'avenir des miens, je ne peux pas…

— Je te le jure. Je veux que nous oubliions tout cela…

— Jacques, mon amour, dit-elle soudain en couvrant le visage du jeune homme de baisers, je veux que nous vivions intensément… je n'ai pas beaucoup de temps pour…

— Mais nous avons toute une vie…

— Une vie c'est parfois court, tu sais, dit-elle sourdement, puis vite elle ajouta : quand on aime comme je t'aime. Je veux que tu me fasses oublier… tout… que tu me fasses découvrir la Terre… je la connais si mal. J'ai quitté les miens sans espoir de retour, j'ai trahi la confiance de mon père…

— Ils t'ont rejetée.

— Oublions tout cela… vivons seulement…

— Tu verras, ce sera merveilleux… je vais m'occuper de tout…

Il appela le garçon qui arriva sans se presser.

— Quel jour sommes-nous, s'il vous plaît ?

— Mais le 23 juillet, Monsieur, répondit l'homme un peu surpris.

— Je vous remercie.

— Je vous en prie, fit l'homme, intimement persuadé d'avoir affaire à un faible d'esprit

Il y avait donc quatre mois et neuf jours que « cela » était arrivé. Selon toute logique l'événement était déjà oublié, noyé, balayé par l'actualité.

— Dites-moi, garçon, cela fait longtemps que vous travaillez ici ? demanda Jacques.

— Ah ! oui alors, cela commence à faire une paye... dix... douze ans peut-être.

— Vous connaissez pas mal de monde alors ?

— Je pense bien, je connais pratiquement tous les gens du quartier et de la ville. Mais pourquoi me demandez-vous cela ? Vous, vous êtes pas d'ici, vous parlez un drôle d'anglais...

— Ma mère était anglaise... mon père français, répondit Jacques, ce qui d'ailleurs était vrai. Pourquoi je vous demande cela... parce que j'aurais éventuellement besoin de petits services.

— Quel genre de petits services ? fit le garçon, lorgnant le billet que Jacques avait posé sur la table et poussait dans sa direction.

— J'ai quelques pierres que j'aimerais vendre, disons, discrètement.

— J'peux peut-être vous arranger cela, fit l'homme empochant la coupure.

Il s'éloigna d'un pas traînant, Jacques et Talma l'entendirent décrocher le récepteur téléphonique et composer un numéro.

— Tenez ! dit-il, en revenant quelques instants plus tard et tendant un morceau de papier, z'avez qu'à vous rendre à cette adresse, demanderez monsieur Jo... y verra c'qui peut faire !

— Merci !

Jacques rajouta un autre billet que le garçon encaissa avec la même célérité.

***

Le dénommé Jo ne se montra guère curieux sur l'origine des pierres. Il remit à Jacques un confortable matelas de dollars. Il y avait là-dedans de quoi acheter une très belle maison et vivre de nombreux mois sans soucis. Ils se mirent en quête d'une agence dès que Monsieur Jo, décidément très compréhensif leur eut assuré que des papiers d'identité plus vrais que des vrais leur seraient remis le lendemain matin à 10 heures, contre la modeste somme de mille dollars... chacun, bien entendu.

CHAPITRE XIII

Jacques et Talma avaient, grâce aux bons offices de l'irremplaçable Monsieur Jo, loué une suite à l'hôtel Hiltona. Tout en haut de l'énorme immeuble qui dominait toute la ville. Ils y restèrent toute la journée sans oser sortir... Jacques qui avait tant attendu, tant souhaité revoir la surface ne supportait plus à présent toute cette agitation, tout ce bruit qui sont la plaie des grandes villes et puis, il n'avait qu'à demi confiance en le trop obligeant Monsieur Jo !

A dix heures précises le téléphone sonna.

— Ici la réception Monsieur Sland... un certain Monsieur Johnatan Smith vous demande... Il dit que vous avez rendez-vous.

— C'est exact, répondit Jacques, faites-le monter. Il faudra que je m'habitue à mon nouveau nom, j'ai failli répondre qu'il s'agissait d'une erreur, dit-il après avoir raccroché le récepteur. C'est Jo... il est exact... espérons que tout a été comme il le fallait.

— Monsieur Sland, j'ai tout ce que vous

m'aviez demandé... les papiers d'abord. Tenez tout y est, dit-il en sortant deux chemises d'une serviette de cuir noir et les posant sur la table. Pour Madame d'abord voici le passeport, carte d'identité... Vous vous appelez Paola Santa, épouse Sland, vous êtes née le 13.6.1947 à Wichita dans le Kansas... J'ai le regret de vous apprendre que vous êtes orpheline et sans famille connue...

— Et s'il y avait un contrôle ?

— Ne vous inquiétez pas de cela... Malheureusement un malencontreux incendie vient de détruire toutes les salles consacrées à l'état civil de la mairie de Wichita.

— Vous pensez vraiment à tout.

— Il le faut bien... Je continue. Vous avez fait vos études à l'université d'Oklahoma City, de ce côté aussi toutes les précautions ont été prises, il se trouve que le recteur a eu jadis besoin de mes modestes services et qu'il ne peut rien me refuser. Il reste toujours quelques lignes blanches sur les registres, dès ce matin vous avez été inscrite... vous avez terminé vos études en 1961... voici deux diplômes... tout à fait authentiques. Encore différentes petites choses... ah oui, carte de groupe sanguin datée de 1945... Vous passerez voir le Dr Wolf... voici l'adresse, il fera le nécessaire pour la prise de sang et la mise à jour de ses fiches... pareil pour le dentiste, Dr Stark à Charleston... et enfin une liste d'une cinquantaine de personnes réparties dans divers Etats et qui sont prêts à se porter garants de votre identité. Recopiez cette liste sur le petit répertoire que je vous ai apporté et détruisez-la ensuite... A nous, Monsieur Sland... Etant donné votre léger accent vous êtes Canadien, né le 28.3.1943 à Québec, vous avez fait vos études dans cette même ville. En 1965 vous avez fait un très gros héritage, depuis vous vivez de vos différents placements, de plus vous êtes auteur, sous un pseudonyme bien sûr, nous pouvons en justifier comme pour Madame : passeport, carte d'identité, diplômes... etc. Malheureusement étant donné la rapidité avec laquelle j'ai dû réunir ces différents documents je dois vous avertir qu'ils ont coûté un peu plus que prévu...

— Combien ?

— Disons 10 000 dollars !

— Combien ?

— Chacun, cela va de soi...

— C'est dégoûtant, vous mériteriez...

— Quoi donc, Monsieur Sland ? demanda Jo, fielleusement en faisant mine de rempocher les documents.

— Ça va... paie mon chéri, dit Talma.

— Vous mériteriez !

— Je prends des risques, Monsieur Sland... et je ne suis pas seul... il s'agit de toute une organisation, il faut payer à tous les étages... et puis...

— Bon, bon, ça va... Et pour la maison ?

— J'y arrivais... Une affaire en or... une véritable affaire... une petite gentilhommière construite milieu du XIXe, remplie de meubles européens des XVIIe et XVIIIe siècles authentiques... entourée d'un parc de 35 hectares, complètement clos.

— Où cela ?

— A Savannah... juste à l'embouchure de la rivière... et au bord de la mer, vous avez même une plage privée.

Savannah... c'est là que leur engin avaient atterri... Jacques et Talma s'entre-regardèrent... puis Jacques demanda :

— Et combien cette petite merveille ?

— 100 000 dollars... comptant ! J'ai tous les actes.

— Je ne dispose pas de cette somme comme cela dans l'immédiat...

— Quelques-unes de vos pierres suffiront... disons une vingtaine de diamants, quelques rubis et une dizaine de saphirs et turquoises.

— Très bien, j'irais vous porter cela tout à l'heure à votre bureau.

— Entendu ! je vous remettrai donc tous les papiers en même temps !

— La confiance règne !

— Nos relations sont récentes, Monsieur Sland... et puis comme je vous l'ai dit je ne suis pas seul dans cette affaire, j'ai des comptes à rendre, mes associés.

— C'est bien... préparez tout... actes de vente compris ! A quelle heure chez vous ?

— Disons 18 heures.

— Nous y serons.

— Eh bien à tout à l'heure.

Jo sortit...

— Il était temps qu'il s'en aille, un peu plus il recevait ma main dans la figure... Il profite de la situation...

— C'est humain, à quelque échelon que ce soit on profite toujours de son prochain... Mais nous avons besoin de lui.

— Malheureusement ! Nous verrons bien ce soir... En attendant si nous mangions quelque chose ?

— Bonne idée, j'ai une faim de loup...

— Il ne serait pas prudent de sortir tant que nous ne sommes pas en règle... Je vais demander que l'on nous fasse monter quelque chose... saumon fumé, caviar, foie gras, toasts et champagne... cela te va ?

— Magnifique ! s'écria Talma en tapant des mains comme une enfant.

***

— Encore deux signatures, une ici, une là... Vous aussi, Madame, s'il vous plaît... bien... tout est en règle. La maison vous appartient. Permettez-moi de vous féliciter pour votre acquisition, Monsieur Sland, vous avez à présent la plus belle propriété de la région...

— Je vous ai fait pleinement confiance...

Savez-vous que nous n'avons pas vu la bâtisse... à part quelques photos ?

— Votre surprise sera d'autant plus agréable, dit le notaire, rangeant les papiers. L'acte de vente vous parviendra sous une huitaine de jours, aucun problème de ce côté, aucune hypothèque, aucune servitude, vous êtes entièrement chez vous... Madame, Monsieur, permettez-moi de prendre congé.

— Pour le paiement ?

— Mr Johnatan Smith m'a remis un chèque certifié en vos lieux et places, tout est parfait...

— Très bien.

Le notaire prit congé. Jo se carra dans son fauteuil, alluma un cigare, tendit la boîte à Jacques qui refusa d'un signe de tête.

— Tout est en règle ? Vous avez fait expertiser les pierres ?

— A l'instant même... j'ai tout ce qu'il faut... je dois vous dire qu'elles sont magnifiques... D'après mon expert ces pierres proviennent d'une faille géologique où ont dû s'exercer de très fortes pressions... la taille non plus n'est pas courante... serait-il indiscret de vous demander la provenance de ces pierres ?

— Très... en effet !

— Alors je n'insiste pas... chacun a le droit d'avoir ses petits secrets ! En tout cas, Mr Sland, si vous êtes à nouveau vendeur j'ai quelques amis que la marchandise intéresse... Ah oui, j'ai pensé également à vous acheter une automobile.

— Vous avez fort bien fait... Bon je crois que nous avons tout vu.

— Nous resterons en contact... si vous avez besoin de la moindre des choses, ne vous gênez pas !

— Nous vous remercions.

Les deux jeunes gens prirent congé. Il était près de 20 heures. Il était hors de question d'aller dès maintenant à la maison. Ils iraient au restaurant et ne se rendraient à Savannah que le lendemain.

— Tout s'est passé si vite, j'en suis toute étourdie... Hier encore, nous n'avions rien. Aujourd'hui nous avons voiture, maison, argent.

— Surtout, nous serons tranquilles... cela nous permettra d'attendre un peu et puis si tu le veux nous voyagerons.

— Pour le moment je ne souhaite qu'une seule chose : être seule avec toi. Tu sais, ajouta-t-elle un peu plus bas, je n'aime pas ce Monsieur Jo, il est obséquieux... trop poli...

— Il peut l'être, il ne donne pas ses gentillesses, ni sa politesse...

— Ce n'est pas cela... As-tu remarqué qu'aujourd'hui, il te regardait avec insistance, comme pour chercher où il avait déjà vu ton visage ? Et puis ces réflexions sur les pierres, leur origine, leur taille...

— Tu te fais des idées... il y a déjà bien longtemps que je dois être oublié... Pour le monde entier Jacques Dol est mort... Il n'y a plus maintenant que Tom Sland le « rentier-écrivain », nos papiers ne le prouvent-ils pas ?... Plus rien ne subsiste de mon passé si ce n'est mon visage et ne dit-on pas que sur terre chacun a son sosie ?

— Tu as sans doute raison, mon amour, je me fais des idées... Oublions tout pour ne plus penser qu'à nous... je t'aime, tu m'aimes, ne parlons plus ni de ce Monsieur Jo, ni de ses semblables... Où m'emmènes-tu dîner ?

— Dans le restaurant le plus chic de la ville... Tiens regarde ta voiture... une Rolls... Eh bien ! avec cela, nous ne passerons pas inaperçus.

— Elle est magnifique... laisse-moi la conduire.

— D'accord !

Jacques s'installa confortablement. Talma après avoir demandé conseil à un agent traversa la ville et gara la voiture devant un restaurant français de « réputation mondiale » lui avait dit le policier...

***

Quelques instants plus tard, entourés de laquais en habits à la française ils savouraient leur bonheur. Seule Talma savait que les Altahiens ne les quittaient pas d'une semelle, le bracelet qu'elle portait à son bras et dont elle n'avait osé se débarrasser la reliait à Sod. Il serait cause, plus tard de bien des événements... Certains Altahiens vivaient assez longuement à la surface et tous étaient au courant de ce qui s'était passé à Sod.

Nul d'entre eux ne leur nuirait, elle le savait bien... elle était et restait malgré tout la fille de Zaken et la descendante de Nahua... Non le danger ne viendrait pas des Bahalim.

Il était là pourtant, tout proche ce péril qui allait menacer non seulement l'existence des deux jeunes gens mais aussi celles de Tatimie et des Benhasout. A quelques tables de la leur un homme les observait avec le plus grand intérêt et lorsqu'ils quittèrent le restaurant, ils ne remarquèrent pas la puissance limousine qui les suivait.

CHAPITRE XIV

Monsieur Jo n'avait pas menti. La propriété était magnifique. Trente-cinq hectares de bois où se mélangeaient sapins, pins, genévriers, chênes, marronniers et tilleuls. La plupart des arbres étaient plus que centenaires. Par endroits, de vastes pelouses avaient été aménagées... La plage privée était merveilleuse, on l'apercevait au travers de l'immense véranda qui constituait l'une des parois du salon-bibliothèque... Un énorme rocher rouge sang à demi recouvert de mouettes se trouvait à quelques centaines de mètres du rivage et partout ce n'était que sable fin. L'eau d'une transparence rare découvrait des algues d'un vert éclatant qui s'agitaient comme des chevelures de sirènes.

Il y avait quatre domestiques que Talma et Jacques décidèrent de conserver à leur service. Une cuisinière à qui il était impossible de donner d'âge, un garde-chasse qui faisait également fonction de jardinier et un maître d'hôtel et enfin une femme de ménage.

Jacques dissimula les pierres précieuses et l'argent. Ils n'avaient aucune inquiétude à avoir et l'avenir leur apparaissait plein de promesses.

***

Ils passèrent les premiers jours à s'installer. Le matin Talma restait de longues heures sur la plage et plusieurs fois sans qu'il n'osât rien lui dire, Jacques surprit son regard perdu dans le vague, vers l'horizon, vers Sod... alors, il l'enlaçait, lui caressait les cheveux, l'embrassait longuement, elle lui souriait alors sans rien dire et son regard semblait lui dire :

« Ne crains rien, mon amour, j'ai choisi, je ne regrette rien. »

Cependant au fur et à mesure que les jours passaient, Talma paraissait de plus en plus fatiguée, son teint était pâle et ses yeux s'enfonçaient profondément dans leurs orbites. Talma savait que les Bahalim ne l'oubliaient pas, que chacun de leurs gestes était épié. Elle savait qu'elle ne pourrait pas vivre longtemps à la surface, elle avait besoin comme tous les Altahiens de se régénérer par un bain de rayons émis par le prodigieux minéral en provenance de leur monde originel... c'était là le seul point faible des Bahalim qu'elle n'avait point osé dévoiler à Jacques. Elle se souvenait de la question de Jacques lorsqu'elle lui avait fait visiter les installations de Sod et qu'il avait entr'aperçu la salle de régénération. Elle avait choisi... l'avenir de Jacques était assuré. Il était jeune, il referait sa vie lorsqu'elle ne serait plus, elle était heureuse, infiniment heureuse et cela seul importait.

— Ne veux-tu pas que nous voyagions un peu ?

— Pas pour le moment, Jacques, nous sommes si bien ici... tu ne trouves pas ?

— Si, mais j'ai peur que tu ne finisses par t'ennuyer.

— M'ennuyer, avec toi ? Je n'ai jamais été si heureuse de ma vie...

— Je t'ai fait une surprise, Talma.

— Ah bon ! laquelle ?

— Je sais que tes travaux te manquent... si, si... ne proteste pas... J'ai commandé tout un laboratoire, nous l'installerons dans les caves... tu pourras travailler quand tu le désireras... je t'aiderai...

— Oh ! Jacques, comme je t'aime...

— Tu ne m'aimeras jamais comme moi je t'aime. Tu sais, Talma j'ai l'impression de t'avoir toujours connue, je n'imagine plus la vie sans toi, je ne pourrais plus vivre sans toi... Tu vois lorsque j'étais à Sod, j'avais la nostalgie de la surface, c'est vrai... pourtant s'il avait fallu t'abandonner pour la revoir, je crois que je n'aurais pas pu... Rien ici ne m'attire plus, les villes m'effraient, les hommes sont tous les mêmes, l'argent, le profit les dominent tous, on ne fait rien pour rien... oh ! et puis ne pensons plus à tout cela... Je vais aller en ville, j'ai besoin de monnayer quelques pierres... nous parlerons d'un voyage.

— Si tu veux... moi, je préfère rester ici... je suis un peu lasse.

— Comme tu voudras, je n'en aurai pas pour longtemps.

— Je vais rester là à attendre sur la plage, on est si bien au soleil...

— Alors à tout à l'heure.

Jacques dépose un léger baiser sur les lèvres de Talma. Quelques instants plus tard, elle entendit le ronronnement du moteur de la Rolls qui s'éloignait. Elle s'absorba dans ses pensées.

Un crépitement inaudible pour toutes oreilles que les siennes se fit bientôt entendre. Talma se dressa sur son séant et porta brusquement les yeux à son « bracelet ». Elle enclencha un poussoir découvrant un petit écran circulaire... le visage de Zaken apparut... elle régla différents boutons comparables au remontoir d'une montre et sa voix se fit entendre :

— Talma ?

— Je t'écoute, Père...

— Talma, pourquoi as-tu fait cela ?

— Les miens m'ont rejetée, tu le sais bien, toi qui n'as rien fait pour me défendre.

— L'intérêt de tout un peuple prime celui de l'individu, et plus que tout autre je me dois de donner l'exemple. Il n'empêche que je n'oublie pas que tu es ma fille... Talma, tu sais très bien que tu ne peux vivre longtemps sans irradiation. Talma, rentre à Sod...

— Jamais ! J'ai choisi une fois pour toutes. Les miens m'ont fait comprendre que je n'étais pas à ma place parmi eux, du moins que je ne l'étais plus.

— Tu as la parole du Conseil et de tous les nôtres, Talma, reviens et tout sera oublié. Tout recommencera comme avant.

— Et Jacques ? Que devient-il dans tout cela ?

— C'est un homme de la surface, il t'oubliera... N'est-il point riche à présent ? Nous connaissons votre larcin, cela n'a aucune importance... Nous donnerons dix fois plus s'il le veut, pourvu qu'il se taise.

— Tous ne sont pas semblables ! En tout cas Jacques ne ressemble à aucun de ceux que j'ai connus.

— Peut-on appeler ça connaître ?

— J'ai trouvé en lui ce que je recherchais sans doute inconsciemment à travers les autres, je le crois sincère, je sais qu'il m'aime pour moi-même, qu'il n'y a plus de reconnaissance, seulement de l'amour, je ne rejoindrai jamais Sod sans lui.

— Mais, Talma... tu sais bien que tu ne peux pas rester ici... Talma, tu vas mourir, aucun de nous...

— Je sais tout cela, Père, je sais aussi je te le répète que je préfère six mois de bonheur auprès de lui qu'une longue vie sans lui...

— Regarde, Talma... là-bas, derrière le rocher... nous t'attendons !

La mer à peu de distance s'était mise à bouillonner et lentement un cockpit apparaissait, un engin Altahien.

— Ma décision est irrévocable, Père... je ne retournerai pas.

Talma appuya sur un petit poussoir, le visage disparut. Talma n'avait plus maintenant au poignet qu'un bracelet comme tous les bracelets... Elle se leva rapidement et en courant regagna la maison.

***

Ni Talma, ni sans doute les Altahiens n'avaient remarqué au loin une barque de pêcheur. Jumelles aux yeux, un homme n'avait rien perdu de la scène. Il s'assit dans le fond de l'embarcation, souleva un ou deux sacs, sortit un émetteur radio, régla les fréquences.

— « Il semblerait — transmit-il — que Storg ait raison... S... et D... ne serait que le même homme ; attends instructions ! »

— Prenez contact avec S... et tenez-nous informés heure par heure.

***

Lorsque Jacques gara sa voiture, il ne remarqua

pas la grosse limousine noire qui se rangea à peu de distance de la sienne.

Monsieur Jo avec son « obligeance » coutumière remit à Jacques quelques liasses confortables de billets ainsi qu'un carnet de chèques qu'il avait fait ouvrir en son nom à la « Continental Bank ».

— Ce sera plus pratique pour vous... J'ai également retenu un coffre pour vous, vous pouvez passer dès maintenant à la banque on vous y remettra la clé et le numéro...

— Que ferais-je sans vous ? Vous êtes irremplaçable !

— C'est un plaisir que de vous rendre service, Monsieur Sland.

— D'autant plus que c'est rentable, n'est-ce pas ?

— Et discret... n'est-ce pas ? Nous sommes faits pour nous entendre !

Jacques se leva pour prendre congé.

— N'omettez surtout pas de présenter mes hommages à Madame Sland.

— Je n'y manquerai pas.

Jacques sortit... Jo l'énervait prodigieusement mais, dans l'immédiat tout au moins il ne pouvait pas se passer de ses services. Il aviserait par la suite. En remontant dans sa voiture, il s'aperçut qu'il n'avait plus de cigarettes. Il allait traverser la rue pour se rendre au bureau de tabac juste en face, lorsqu'il sentit quelqu'un le prendre par la manche... Il se retourna vivement.

— Continuez à avancer *Monsieur Dol!* nous parlerons beaucoup mieux devant une tasse de café... ou autre chose.

— Je ne comprends pas ce que vous voulez dire... je me nomme Sland.

— Et vous êtes né le 28.3.43 à Québec... *Nous...* savons tout cela, Mr Dol...

— Mais pourquoi vous obstinez-vous à m'appeler Dol... mon nom est Sland, vous dis-je ! dit Jacques élevant la voix.

— Allons pas d'esclandre... cela n'est pas votre intérêt... Nous ne vous voulons aucun mal, bien au contraire... quelques renseignements tout au plus et ensuite vous n'entendrez plus parler de nous, ni vous... ni votre charmante épouse...

— Laissez ma femme en dehors de tout cela, voulez-vous !

— Il ne tient qu'à vous ! Allons, décontractez-vous... je n'en ai que pour quelques instants... nous nous reverrons plus tard si nous ne nous mettons pas d'accord... mais nul doute que vous vous rendrez compte où se trouve votre intérêt.

— Où voulez-vous en venir ?

Tout en parlant, ils avaient traversé la rue. L'inconnu choisit une table un peu à l'écart, tira une chaise.

— Asseyez-vous ! Si vous le voulez nous parlerons français... cela vous sera plus facile...

Malgré lui Jacques obéit. Il avait peur brusquement. Il jeta un regard à la dérobée à l'homme qui lui faisait face tandis qu'il commandait deux cafés.

— Jouons cartes sur table, Monsieur Dol.

— Mais pourquoi voulez-vous absolument que je me nomme Dol, je suis Sland, Tom Sland... Qui êtes-vous ?

— Peu importe qui je suis, je travaille pour le compte d'un gouvernement étranger... un pays où règne le rationalisme le plus pur et qui s'intéresse de très près aux légendes et aux mythes afin de les démystifier, si j'ose m'exprimer ainsi... En ce qui vous concerne nos services sont bien renseignés, nous avons comparé les empreintes digitales de Sland avec celles de Dol... ce sont les mêmes...

— Mais comment avez-vous pu ?... J'y suis, Monsieur Jo !

— Il n'est qu'un rouage inconscient, il ignore beaucoup de choses... entre autres que nous nous intéressons à vous.

— Que me voulez-vous au juste ?

— Nous avons suivi de plus près encore que le reste du monde votre tentative sur le Poséidonis... nous connaissions bien. Sur la route que vous deviez suivre, figurez-vous, Monsieur Dol, que quelques-uns des navires et des avions du pays qui m'emploie ont eu des ennuis dans la même région que vous... disons à environ 800 km de Buenos Aires... Pour être plus net, ils ont disparu corps et biens et nous savons de source certaine que d'autres pays ont eu à « déplorer » de semblables… disons « incidents » pour la plupart tenus secrets afin de ne pas alerter l'opinion mondiale.

— Qu'ai-je à voir dans tout cela ?

— J'y viens… ne soyez pas si pressé, Monsieur Dol. Jusqu'à présent vous êtes le seul à être revenu vivant de cette région… Nous désirons que vous nous fournissiez quelques explications.

— Mais sur quoi ?

— Sur ce qui est arrivé à 800 km des côtes de Buenos Aires. Sur ce qu'il est advenu du Poséidonis et surtout quelques renseignements sur l'endroit où vous avez passé ces quelques mois… Nous avons notre idée sur la question…

— Et si je n'avais rien… si je n'ai rien à répondre ?

— Nous serions obligés d'être plus… comment dirais-je pressants !

— Que pourriez-vous faire ?

— Révéler votre existence par exemple, avec tout ce que cela impliquerait… les assurances, les créanciers… nous savons que vous avez les moyens de rembourser mais on pourrait… je ne sais, moi, vous demander des explications sur l'origine d'une fortune si soudaine… de ces pierres par exemple à la taille si étrange… et également les origines exactes de Madame Sland née Paola Santa mais dont le nom réel est Talma.

Jacques blêmit… Comment cet homme pouvait-il savoir tout cela ? En tout cas, il le savait… c'est ce qui était grave ! Que faire, supprimer cet homme ?

— Je... j'ai besoin de réflexion...

— Mais bien sûr, *Monsieur Sland...* Du reste ma mission auprès de vous est terminée, vous serez recontacté... Je ne suis qu'un tout petit intermédiaire... il ne servirait donc à rien de me supprimer.

— Qui vous parle de cela ?

— Ce sont des idées qui pourraient vous venir, *Monsieur Sland,* cela arrive lorsque l'on se sent pris à la gorge... mais en fin de compte vous verrez que nous ne sommes pas si méchants que cela... Bonne journée, *Monsieur Sland.*

Avant que Jacques n'ait pu le retenir, l'homme se leva, traversa la rue, sauta dans une grosse voiture noire qui démarra aussitôt.

***

Il courut jusqu'à la Rolls et sauta au volant. Un moment il eut l'idée de suivre la voiture noire et puis brusquement il pensa à Talma.

— Talma ! cria-t-il, et il démarra en trombe sous l'œil effaré d'un policier qui faillit en avaler son sifflet et n'eut même pas le temps de relever son numéro.

Jacques parcourut les artères de Charleston « à tombeau ouvert » et franchit les quelques dizaines de kilomètres qui le séparaient de Savannah à une vitesse folle. Les grilles de la propriété s'ouvrirent automatiquement devant lui... Il stoppa en catastrophe devant le perron et malgré la présence du maître d'hôtel il mônta les marches quatre à quatre en hurlant.

— Talma ! Talma !

Elle accourut à sa rencontre, le visage pâle, la mine défaite...

— Qu'y a-t-il, mon amour, je suis là, je me reposais dans la bibliothèque.

Il la prit dans ses bras et l'embrassa comme un fou en bredouillant des mots sans suite. Quand il eut quelque peu repris ses esprits il parvint à articuler :

— J'ai eu si peur, si tu savais...

— Mais que se passe-t-il ? Tu as l'air complètement affolé...

— Il y a de quoi !... Viens, je vais t'expliquer cela dans le jardin... j'aime mieux que nous ne restions pas ici. Chez nous il y a un vieux dicton qui dit que les murs ont des oreilles. Faites-nous porter deux jus de fruits, ajouta-t-il à l'adresse du maître d'hôtel qui restait là, interdit, dans le hall, sans comprendre... (ou du moins sans avoir l'air de comprendre.)

Jacques lui jeta au passage un regard soupçonneux... au reste maintenant il soupçonnait tout le monde.

***

Lorsqu'ils se furent installés sous les arbres. Jacques prit les mains de Talma dans les siennes et en quelques phrases il lui raconta tout. Talma écoutait sans mot dire. Jacques remarqua alors combien elle était pâle, comme ses joues étaient creusées. Il mit cela sur le compte de l'émotion bien légitime qu'elle éprouvait et poursuivit son récit. Quand il eut terminé, il fixa Talma dans les yeux :

— Qu'en penses-tu ?

— Comment ces gens peuvent-ils être si bien informés ? C'est incroyable. Nul n'a pu voir notre arrivée à la surface. Tous nos appareils sont munis de dispositifs spéciaux empêchant les détections radar, de plus la fusée s'est autodétruite en ne laissant aucune trace si minime soit-elle... Nous sommes en Amérique du Nord, à des milliers de kilomètres du lieu de naufrage du Poséidonis...

— Il semble s'agir d'une très puissante organisation...

— Dont Jo ferait partie ?

— Sans doute... mais sans le savoir, l'inconnu me l'a bien fait comprendre. Il n'est comme l'autre qu'un pantin manœuvré à distance et sûrement à son insu. Nous avons affaire à une organisation planétaire... rien n'échappe à leur investigation.

— Peut-être bluffent-ils ?

— Cela m'étonnerait... ils sont l'air décidés.

— Mais que veulent-ils au juste ?

— Je ne sais pas. On dirait qu' « ils » soupçonnent l'existence de Tatimie. Il m'a parlé des nombreuses disparitions mystérieuses survenues dans la région et a bien insisté sur le fait que j'étais le seul survivant.

— A quoi cela pourrait-il bien les avancer, même s'ils découvraient l'existence de notre monde sous-marin ? D'une part il est inaccessible et d'autre part personne n'y croirait.

— Qui sait ? Zaken, ton père et les membres du Conseil des Bahalim reconnaissent eux-mêmes que les hommes ont fait des progrès énormes, nous ne connaissons pas les moyens dont disposent certaines puissances mondiales... peut-être peuvent-ils vaincre les grandes profondeurs...

— Si cela était, ce serait terrible, les miens ne le permettraient jamais. Si les tiens investissaient Tatimie, ils détruiraient tout ce que nous avons eu tant de mal à bâtir, la riposte des miens serait terrible... nous avons prévu cette éventualité, nous disposons d'un dispositif de défense terrible... en quelques heures la Terre serait à feu et à sang...

— Et les Benhasout dans tout cela, que deviendraient-ils ?

— Tu le sais, nous disposons de bases sur Mars et sur Vénus. Si nous y sommes contraints, nous évacuerions la Terre ; nous les emmènerions avec nous, mais la vengeance des Altahiens serait terrible...

— Nous nous inquiètons peut-être à tort. Le mieux est d'attendre que l'on nous contacte, nous déciderons en conséquence.

— Tu as raison.

— En attendant, viens. Je voudrais vérifier pas mal de choses...

Jacques et Talma rentrèrent dans la maison. Immédiatement Jacques se mit à remuer les meubles, soulever les tapis et les tableaux.

CHAPITRE XV

— Regarde, Talma... un micro ici... un autre là !

Il y en avait partout. Jacques découvrit même deux objectifs de caméras circuit intérieur dans la bibliothèque, un autre dissimulé sur la terrasse, un autre dans leur chambre.

— Nous sommes espionnés depuis notre arrivée... et même avant !

— C'est évident la maison a été préparée, nous ne pouvons faire un geste sans être vus !

Lorsque, écœurés, les deux jeunes gens se rendirent sur la plage, ils constatèrent que même là-bas, dissimulés derrière des buissons, sous des pierres, dans des arbres il y avait des micros...

— Il faut fuir...

— Pour aller où ? « Ils » nous repéreront où que nous soyons...

— En Europe... en Angleterre, en France... je ne sais pas...

— Tu sais bien que cela ne servirait à rien. Ils sont sûrement partout !

— Talma... ton bracelet où est-il ?

La jeune femme porta vivement la main à son poignet. Le bracelet n'y était plus. Elle pâlit atrocement.

— Je... j'ai dû le poser dans la bibliothèque, vite, il faut le retrouver, les conséquences seraient trop graves.

— Ne faisons pas une maladie pour un simple bijou.

— Ce n'est pas seulement un bijou, Jacques... loin de là... C'est un émetteur-récepteur visuel et auditif, il me relie directement à Sod...

— Pourquoi ne m'en avais-tu jamais parlé ?

— Jacques, il n'est pas temps de nous quereller à ce sujet... il faut le retrouver tout de suite, sinon les Terriens auront la preuve de l'existence de Tatimie... Ils ne pourront pas le repérer de suite mais ils sauront et avec les moyens dont ils disposent maintenant nul doute qu'ils le puissent sous peu...

***

Jacques et Talma eurent beau fouiller partout, le bracelet demeura introuvable. Ils eurent beau sonner le maître d'hôtel, il avait également disparu.

— C'est lui qui aura fait le coup !

— Cela ne fait pas de doute, ce qui arrive est terrible, Jacques et tout cela est ma faute, gémit

Talma en se laissant choir dans un fauteuil. Je n'ai plus à présent aucun moyen de prévenir les miens.

— Ils ne savent sûrement pas s'en servir.

— S'ils l'ont pris c'est qu'ils se doutent qu'il n'est pas uniquement décoratif ; regarde, les pierres sont là... ils n'ont volé que cela... en l'examinant ils auront tôt fait d'en découvrir le maniement.

— T'en es-tu servie récemment ?

— Oui ! Jacques, mon père m'a appelée... autant que je te raconte tout.

— Quand t'a-t-il appelée ?

— Alors que tu étais en ville. Non seulement il m'a appelée mais un appareil Altahien venait pour me chercher... Espérons qu'il n'a pas été aperçu !

— Pourquoi Zaken voulait-il te parler ?

— C'est mon père... Il voulait que je retourne à Sod, que je revienne vivre parmi les miens. J'ai refusé.

— Il avait sans doute une autre raison.

— Quelle autre raison veux-tu qu'il ait eue ? Tu te fais des idées.

— J'ai le droit, non ? s'écria Jacques arpentant la pièce de long en large. Si tous les événements que je t'ai relatés et que nous venons de vivre ne s'étaient pas produits, tu ne m'aurais sans doute jamais parlé de cette communication.

— Serais-tu jaloux par hasard ? sourit Talma.

— Et alors ? J'aurais peut-être quelque raison. Tu n'as pas toujours mené une vie irréprochable que je sache ! Hein, tes petites « excursions » à la surface... tes rencontres ! Qui me dit qu'à Sod non plus tu n'as pas un ou deux « petits amis » à qui tu commences à manquer ? Vous les femmes, vous êtes toutes les mêmes... pas une pour racheter l'autre.

— Jacques !

— Ah ! et puis non, ne m'interromps pas ! Retournes-y à Sod si cela te tente, moi je me débrouillerai.

— Tu es injuste... Oh ! Jacques si tu savais !

— Si je savais quoi ? Eh bien réponds, bon sang ! s'écria-t-il en secouant la jeune femme sans doute plus rudement qu'il ne l'aurait voulu.

— Tu me fais mal, dit-elle en se dégageant brusquement. Si les femmes sont toutes les mêmes, vous les hommes de la surface vous n'avez rien à leur envier. Je ne mérite pas ce que tu viens de me dire.

— Alors, dis-moi !

— Tu veux vraiment savoir ?

— Oui.

— Tu l'auras voulu ! J'ai refusé de retourner à Sod, Jacques, et ce faisant je t'ai donné la plus grande preuve d'amour qu'un être puisse donner à un autre. Je vais te dévoiler un secret... Viens plus près il ne faut pas que l'on puisse entendre, il reste peut-être des micros ?

A contrecœur Jacques se pencha et Talma lui conta comment les Altahiens ne pouvaient vivre que grâce à l'irradiation périodique d'un minerai inconnu sur Terre et que sans ce traitement Talma ne pourrait survivre longtemps. Le jeune homme écoutait en silence. Quand Talma eut terminé son récit, il tomba à ses genoux.

— Talma, mon amour... Tu savais tout cela, tu savais que tu mourrais si tu venais avec moi à la surface et tu es venue tout de même. Oh ! Talma comment pourras-tu me pardonner mes paroles blessantes. Oh ! et puis non, je ne veux pas que tu meures... que deviendrai-je sans toi ?

— Tu m'oublieras et grâce à toi j'aurais connu les plus beaux moments de mon existence... Le reste ne compte pas... n'a jamais compté !

— Mais, Talma, comment peux-tu imaginer que je puisse vivre sans toi ? Non, dit-il en se relevant, il faut recontacter ton père... rejoindre Sod absolument. Il faut avertir les tiens !

— Cela n'est plus possible à présent !

— Comment cela ?

— Le bracelet était le seul lien qui me rattachait encore à mon peuple... sans lui je ne peux rien... et puis, mon amour, même si je l'avais encore, je ne le ferais pas, je ne veux pas te quitter...

— Mais qui te parle de me quitter ? Nous rejoindrons Sod, nous y vivrons tous les deux. Je t'aime, Talma, je suis prêt à faire n'importe quoi. Il doit bien y avoir un moyen de contacter les tiens... toi-même tu me disais que quelques-uns d'entre eux vivaient à la surface...

— Bien sûr, mais ils ne se montreront plus.

— Peut-être en reconnaîtras-tu quelques-uns.

— Ne rêvons pas, Jacques, ils sont quelques dizaines noyés parmi des millions d'hommes... ils ne se manifesteront plus, te dis-je... Non, il faut nous résigner.

— Me résigner ? Jamais !... Ce qu'il faut faire c'est récupérer ton bracelet. L'inconnu a dit que l'on nous recontacterait...

— Dans combien de temps ? Ne sera-t-il pas trop tard ? Oh ! Jacques, j'ai peur !

***

Paradoxalement, Jacques et Talma souhaitaient maintenant ardemment que l'organisation se révélât à eux. Un profond désir de vivre animait Talma, elle était certaine de l'amour de Jacques, quant à lui il aurait accepté n'importe quoi pour qu'elle vive, il aurait donné sa vie pour elle. Cependant chaque jour qui passait rapprochait l'issue fatale et « ils » ne se manifestaient toujours pas.

Maintenant lorsque Jacques regardait autour de lui, lorsqu'il voyait les lourds nuages noirs imprégnés de déchets de la ville toute proche, lorsqu'il contemplait les larges plaques de mazout qui venaient polluer la plage privée, lorsqu'il regardait la télévision et voyait des milliers d'enfants mourir de faim alors que d'autres se gobergeaient... il regrettait Sod. Il en arrivait presque à envier le sort des Benhasout. Souvent il pensait à Kol et à Icha, il enviait maintenant leur bonheur tranquille, leurs joies simples il regrettait leur amitié. Ils ignoraient cette envie, cette jalousie qu'il sentait autour de lui, ils respectaient la vie...

La vie !... Oh vivre... Il la sentait s'enfuir cette vie en regardant Talma. Il savait que chaque jour elle mettait un peu plus de poudre et de fond de teint afin de lui paraître moins pâle. Ils avaient dû écourter leurs promenades car Talma s'essoufflait, sa peau devenait diaphane et ses yeux, ses grands yeux avant si lumineux devenaient plus ternes de jour en jour.

C'est alors qu'il commençait à désespérer qu'un matin le téléphone sonna...

— Monsieur Sland ?

— Lui-même... Qui est à l'appareil ?

— Mon nom ne vous dirait rien... disons que je m'intéresse à certaines choses...

— Lesquelles ?

— Des pierres, par exemple... plutôt à leur provenance.

— Venez-en au fait, voulez-vous...

— J'y arrive... plutôt j'arrive, écoutez-moi bien, Monsieur Dol... pardon Monsieur Sland, dans quelques minutes je serai devant votre porte, rebranchez les cellules photo-électriques afin que rien ne s'oppose à notre entrée.

— Je voulais vous dire d'app...

Jacques n'eut pas le temps de terminer sa phrase « on » avait raccroché.

— Ce sont eux, n'est-ce pas ? demanda Talma.

— Oui !

— Rappelle-toi ce que tu m'as juré, Jacques.

— Je m'en souviens, jamais je ne ferai quoi que ce soit qui puisse nuire à ton peuple, ni aux Benhasout. J'ai compris beaucoup de choses, Talma, crois-moi, les tiens ont les qualités et les défauts de tous les hommes mais je respecte ce qu'on voulu tes ancêtres, ils avaient raison. Il faut protéger les hommes contre eux-mêmes, je vais tenter autre chose, il me faudra jouer serré... Ne t'inquiète de rien surtout.

— Jacques, je t'en prie sois prudent.

— N'aie crainte, je veux vivre, je veux que tu vives. Reste là, mon amour. Je vais aller les attendre.

Il déposa un léger baiser sur le front couvert de sueur de la jeune femme et sortit de la pièce au moment même où une voiture franchissait les grilles du parc. Jacques attendit sur le haut des marches. L'automobile se rangea le long du perron... un homme descendit.

— Attendez-moi ici... je ne pense pas en avoir pour longtemps, dit-il au chauffeur, puis il leva les yeux vers le jeune homme. Monsieur Sland, je suis Herbert Storg, ajouta-t-il tendant la main.

Jacques s'inclina légèrement mais ignora le geste du visiteur.

— A votre aise, Monsieur Sland. Il est préférable je le pense que notre conversation ait lieu dans le parc.

— Vous vous méfiez des micros, c'est un

comble ! N'est-ce point vous qui les aviez fait installer ?

— Nous y étions obligés, nous devions absolument avoir confirmation de certains points qui nous semblaient douteux, Monsieur Dol.

— Puis-je vous poser une question ?

— Mais bien sûr.

— Qui m'a reconnu le premier... ou plutôt disons cru me reconnaître ?

— Cela va vous sembler ridicule...

— Dites toujours !

— Le garçon de café... Oui, il a un hobby, voyez-vous. Comme beaucoup de sédentaires par force, il s'intéresse à l'aventure et aux aventuriers. Il vous a tout de suite reconnu ; il allait vous parler, quand vous lui avez demandé le petit service que vous savez... Je vous passe les détails, pour le reste, nous avons commencé une discrète filature, nous avons choisi votre hôtel, votre médecin, votre dentiste et même votre banque. Notre organisation est vaste mais a un énorme avantage : ses membres ne se connaissent pas entre eux, chacun a un rôle précis à jouer — l'homme s'arrêta, sans doute de peur d'en avoir trop dit — mais je vous ennuie avec tout cela sans intérêt, venons-en directement aux faits, voulez-vous...

L'homme sortit une épaisse liasse de papiers d'une grosse serviette noire.

— Vous permettez ? dit-il, en s'asseyant sur une chaise de jardin. Ah voilà, j'y suis... votre dernier message remonte au 14 mars vers 12 h 10... vous vous trouviez à ce moment-là à 800 km au large de Buenos Aires...

— Nous n'allons pas reprendre tout... venez-en de suite à ce que vous attendez de moi.

— Si je vous parle de ces messages, c'est qu'ils représentent pour nous un fait très important, particulièrement le dernier, celui qui fut capté par un radio-amateur de Livramento. Les termes que vous employez, les faits que vous décrivez sont exactement les mêmes que ceux qu'employèrent ceux qui avant vous disparurent dans cette région : cette eau qui devient blanche, cette soudaine tempête, cette longue flèche d'acier qui soudain jaillit de la mer... tout.

— Où voulez-vous en venir ?

Le visage de Storg s'illumina d'un sourire et son ton se fit doucereux.

— Sachez avant toute chose, Monsieur Dol, que nous ne poursuivons que des buts scientifiques et humanitaires. Le gouvernement avec lequel je coopère est essentiellement rationaliste et athée. Nous considérons que les religions sont comme disait Marx « l'opium du peuple », un moyen d'endormir les masses afin de les mieux diriger, une vaste entreprise de domination universelle...

— Ne croyez-vous pas que nous nous égarons ? Que viennent faire les idéologies ou les religions ?...

— Vous allez le savoir, Monsieur Dol... Notre

société est une société d'oppression, la seule liberté qui règne dans les 3/4 des Etats est celle pour une minorité d'exploiter les autres. Les grandes religions ont toujours été du « côté du manche plutôt que de la cognée »... Tous les débordements de l'homme envers la nature et envers ses semblables viennent principalement des enseignements qui lui ont été inculqués particulièrement par les religions monothéistes (1). Nous pensons que c'est à partir de faits réels que les hommes ont créé les grands mythes d'où sont sorties les religions et, c'est là où votre histoire, Monsieur Dol nous est utile, je dirais même essentielle... Si grâce à vous nous pouvons prouver... et là je serai très direct et je sais que vous ne me démentirez pas au vu de toutes les « preuves » que nous avons accumulées particulièrement depuis votre réapparition... si nous pouvons prouver, vous disais-je, qu'il existe des civilisations sous-marines comme le pensent des savants aussi éminents que Yvan Sanderson, comme Einstein et tant d'autres desquels je vous éviterai une énumération fastidieuse, des civilisations bien antérieures à celles des hommes de la surface, des civilisations d'origine extra-terrestre implantées « autrefois » sur Terre et que les pre-

(1) Faisons l'homme à notre image, à notre ressemblance, et qu'il domine sur les poissons de la mer, sur les oiseaux du ciel, sur le bétail, sur toute la terre et sur tous les êtres qui s'y meuvent (*Genèse*, chap. I., verset 26).

miers hommes ont connues, nous démontrerons du même coup que toutes les idéologies spiritualistes soi-disant moralisantes ne sont que créations qui en fait n'ont été que des armes d'abord au service du sacerdoce ensuite de leurs alliés, féodalité, aristocratie, bourgeoisie et enfin capital et profit... Comprenez-moi bien, Monsieur Dol, nous ne voulons que le bonheur de l'humanité, nous ne voulons qu'entrer en contact avec cette civilisation... nous *savons* qu'elle existe, vous ne pouvez plus nier.

— Je le nie pourtant.

— Et cela ! s'écria Storg, brandissant sous le nez de Jacques le bracelet de Talma. Nous savons ce qu'il est réellement, un émetteur-récepteur-audio-visuel... nous savons ce qu'il est... nous avons vu des images... nous avons entendu des messages... nous avons vu des bâtiments, des installations, avant que l'émission ne s'interrompe, sans doute parce qu'ils se sont rendu compte que ce n'était pas votre femme qui manipulait l'appareil. Ces êtres disposent d'une puissance prodigieuse, il faut qu'ils la mettent au service d'une cause juste...

— Et s'ils refusaient... en admettant qu'ils existent ?

— Nous disposons des moyens d'investir la base quelle que soit la profondeur à laquelle elle se trouve, repartit l'homme d'un ton sec. Nous pourrions trouver seuls l'emplacement exact, mais ce faisant nous attirerions l'attention du monde car cela nous prendrait beaucoup de temps, nous serions obligés de déplacer de nombreux bâtiments, navires radars, radiosondeurs, batyscaphes... etc., on nous demanderait des explications que nous ne sommes pas près de donner... Nous risquerions de déclencher un conflit mondial qui, étant donné la puissance des armements actuels risquerait de tourner au génocide... Je suppose que ce n'est pas ce que vous désirez ? Ne nous obligez pas à être beaucoup plus « pressants » que nous ne le sommes... Nous pourrions aisément vous contraindre, nous ne le souhaitons pas... Madame Dol, serait peut-être plus coopérante ?

— Je vous interdis de toucher à Talma... elle ne pourra vous en dire plus que moi...

— Pourtant tout laisse supposer qu'elle appartient à ce peuple mystérieux. Nous savons, car cela aussi nous l'avons vu, qu'un engin inconnu a émergé non loin d'elle, qu'elle n'a paru ni surprise, ni effrayée, et pour cause car elle le connaissait et que cet appareil venait de l'endroit que nous cherchons.

— L'emplacement est tenu secret... même les Altahiens.

— Les Altahiens ?

— C'est le nom du peuple des abîmes... même eux sont incapables de le situer. A quelque distance, leurs appareils sont pris en charge par un ordinateur directionnel qui seul en connaît les coordonnées exactes...

— Monsieur Dol, puis-je vous poser une question ?

— Allez-y.

— Lorsque vous avez quitté... disons ce lieu... vous avez bien dû noter quelques détails, je ne sais moi, une faille sous-marine, une île...

— Aucune. Sous l'effet de la décélération ou de la pression, je me suis évanoui et n'ai repris conscience qu'ici, sur la plage de Savannah...

— Et l'appareil qui vous a emmenés ?

— Il s'est autodétruit, il n'en subsiste aucune trace !

— Ecoutez, Monsieur Dol, je m'efforce d'être calme, mais nous touchons au but, ceux qui m'envoient *veulent savoir,* pour le moment je suis le seul qui puisse les éclairer ; les documents que j'ai réunis...

Jacques dressa l'oreille... « pour le moment Storg était le seul... » N'avait-il pas dit que les membres de l'organisation ne se connaissaient pas entre eux ? C'était peut-être sa chance... il lui fallait gagner du temps... feindre de se laisser convaincre.

— Rentrons dans la maison, je pense qu'il est bon que ma femme soit informée de vos projets, de vos intentions, elle seule peut juger des réactions des siens...

— Au fait, Monsieur Dol, si Madame Do... pardon, Sland a quitté les... comment dites-vous déjà ?

— Altahiens...

— Oui, c'est cela... ce fut pour une raison précise... Non, non, je ne suis pas si indiscret que cela, je ne tiens pas à la connaître, mais à l'évidence elle a choisi de vivre avec vous, ici... à la surface... elle a refusé de retourner avec eux lorsqu'ils sont venus la chercher... nous l'avons constaté par nous-mêmes. Elle semble avoir définitivement rompu ses attaches. Nous pouvons vous assurer que votre existence sur terre sera des plus agréables... Je sais que vous disposez de moyens financiers très importants mais en cas de besoin nous saurions nous montrer reconnaissants, vous faciliter beaucoup de choses, vous ouvrir bien des portes...

— Ne tournez pas autour du pot, Monsieur Storg. Qu'ont à voir les raisons qui ont poussé ma femme à quitter les siens et notre affaire ?

— Je voulais simplement dire qu'il m'étonnerait qu'elle voie un inconvénient quelconque à ce que nous rencontrions les siens.

— Les miens se sont dissimulés aux yeux de la surface depuis des millénaires Monsieur Storg...

— Talma ! Pourquoi es-tu venue ? Il fallait rester à te reposer...

— Laisse-moi, Jacques, il faut que je précise certaines choses à ce monsieur, fit Talma en s'asseyant. S'ils l'ont fait c'est qu'ils ont eu jadis maille à partir avec ceux de votre espèce, ils ont entrepris et réalisé une œuvre merveilleuse en Tatimie. Pourquoi je les ai quittés, Monsieur Storg ? Parce que j'aimais Jacques, parce que j'ai placé l'amour que je porte au-dessus de celui que je porte à ceux de ma race... mais peut-être ces raisons-là n'en sont-elles point pour vous ? J'ai entendu votre conversation tout à l'heure, vous voulez soi-disant le bonheur de l'humanité, en fait vous ne cherchez qu'à remplacer une idéologie par une autre... et vous le savez bien.

— Qui vous permet de nous juger ?

— L'histoire simplement... *votre* histoire... Depuis le temps où les nôtres apparurent aux vôtres comme des anges ou comme des dieux, elle n'est qu'une longue suite de haine, d'ingratitude et d'exploitation. Comme vos ancêtres ne nous ont point écoutés, ils n'ont point écouté ceux des leurs qui leur prêchaient l'amour du prochain, ni Moïse, ni Bouddah, ni Ioshuah de Nazareth, ils n'ont retenu de leurs enseignements que ce qui pouvait servir à dominer.

— C'est ce que je me tue à vous expliquer... c'est ce que nous voulons corriger...

— Et vous que proposez-vous ? Je vais vous le dire : une entreprise de démolition ! Révéler brutalement aux opprimés de tout bord qu'on les leurre depuis des siècles, l'intention serait pieuse si à ce mal vous apportiez un remède... mais quelle est votre solution de remplacement ?...

— Placer l'homme devant ses responsabilités, lui ouvrir les yeux...

— ... Et sur quoi grand Dieu ?

— Mais sur lui-même !

Talma eut un petit rire qui se transforma

aussitôt en toux. Jacques alarmé s'approcha d'elle et lui tendit un verre d'eau qu'elle but à longs traits...

— Monsieur Storg je veux que vous sachiez pourquoi je ne vous aiderai pas...

— Pourquoi *nous* ne *vous aiderons pas,* souligna Jacques.

Les mains de Storg se crispèrent sur la poignée de la serviette noire et ses yeux lancèrent des éclairs. Indifférente à ses réactions, Talma poursuivit :

CHAPITRE XVI

— Qu'est-il devenu l'homme tel que vous l'avez fait ? Un esclave, esclave de ses passions, des « besoins » qu'il s'est lui-même créés ou qu'on lui a créés pour mieux l'asservir encore. Vous voulez remplacer le spiritualisme par le notérialisme, vous voulez remplacer le rêve par des « réalités »... vous oubliez que l'homme a besoin de ses rêves... Vous parlez de socialisme, d'athéïsme, vous en avez fait des religions avec leurs saints et leurs démons, avec leur paradis et leur enfer... Vous parlez de liberté mais vous en ignorez jusqu'au sens et vous voudriez que nous vous aidions à imposer par la force, si besoin en était ce que *vous* jugez être le bonheur ; vous voulez une égalité qui n'existe pas dans la nature et surtout pas dans la *nature* de l'homme... Quant à votre amour du prochain, laissez-moi en douter, vous ignorez jusqu'au sens même du mot fraternité.

— Que vous le désiriez ou non, vous collaborerez avec nous... de gré ou de force vous nous indiquerez les coordonnées de votre base.

Avant que Jacques ait pu esquisser le moindre mouvement Storg dégaina un revolver.

— Je vais être contraint de vous demander de me suivre. Vous allez nous obliger à employer d'autres méthodes...

— Monsieur Storg, dit calmement Talma, aucune « méthode » ne m'obligera à parler. Jamais, vous entendez bien, jamais, je ne vous révélerai quoi que ce soit sur Tatimie et même si je le voulais... je ne le pourrais pas... dans quelques jours je serai morte...

— Talma !

— Jacques, les miens seuls pouvaient encore quelque chose pour moi, tu le sais bien toi quel est le remède, le seul remède capable de me guérir. Vous connaissez notre existence. A quoi cela vous servira-t-il ?... Jamais vous ne découvrirez notre refuge, le seul havre de paix qui reste encore sur cette planète...

— Vous parlerez... je vous en réponds, nous saurons utiliser les quelques jours qu'il vous reste... n'en doutez pas !

Storg fit un signe, le chauffeur ouvrit la portière et vivement vint le rejoindre, lui aussi exhibait un pistolet. D'un geste du menton, il fit signe à Jacques d'avancer en direction de la voiture. Alors, le cerveau de Jacques se mit à fonctionner à la vitesse de l'éclair, au reste il ne savait plus lui-même si c'était lui qui pensait... il vit Talma mourante, il se vit penché sur elle hurlant son désespoir comme une bête blessée, il entendit les paroles de Storg comme si on les hurlait à ses oreilles... « les membres de l'organisation s'ignorent entre eux »... « je suis le seul qui puisse les éclairer ». Le supprimer, il fallait que Jacques le supprime... qu'il récupère le bracelet... Talma avertirait Zaken... il viendrait la chercher... elle vivrait, il voulait qu'elle vive ! Si Zaken refusait il prendrait un avion, une barque... n'importe quoi, il emmènerait Talma là-bas où la tempête l'avait surpris. Il leur donnerait sa vie en échange de la sienne. Sans même qu'il s'en rendît compte son poing partit, frappant l'homme en pleine figure, il vacilla ; un deuxième coup de poing à l'estomac le plia en deux. Jacques le releva immédiatement d'un coup de genou au menton, le revolver s'échappa de sa main. Le jeune homme avec une souplesse qu'il ignorait lui-même, bondit, s'empara de l'arme, roula sur le côté évitant la balle que Storg venait de tirer... puis lui-même tira... deux fois, trois fois. Les deux hommes s'écroulèrent, eurent quelques contractions puis ne bougèrent plus...

Talma s'était évanouie et gisait à terre... Jacques se précipita vers elle. Il venait de tuer deux hommes, il l'aurait refait à l'instant, il en aurait tué dix, cent pour que Talma vive...

— Mon amour, hurla-t-il, réponds-moi... réponds-moi ! Tu n'es pas blessée ?

La jeune femme ouvrit les yeux :

— Père... s'écria-t-elle. Père... tu es là !

Un moment Jacques crut que la jeune femme délirait...

— Mais... mon amour, je suis Jacques, je ne suis pas ton...

La pression d'une main sur son épaule le fit sursauter, il sauta sur ses jambes comme un félin et sa bouche s'arrondit sur un « oh » de surprise. Zaken était là, derrière lui entouré d'une dizaine d'Altahiens, d'une dizaine de Bahalim !

— Vous ! ici ? Comment avez-vous pu ?

Zaken s'était penché sur Talma, aidé de Jacques il l'assit sur la chaise. Sans la quitter des yeux il s'adressa à lui.

— Nous avons commencé à nous douter que quelque chose n'allait pas lorsque l'ordinateur central nous a fait savoir que l'émetteur de Talma était manipulé par des mains étrangères, chacun de nos émetteurs est réglé sur les ondes biologiques de son possesseur... nous avons immédiatement su que quelqu'un s'en était emparé et ce ne pouvait être toi, tes ondes biologiques sont également connues de l'ordinateur... En quelques heures nous avons identifié le voleur, ceux des nôtres qui sont à la surface, se sont immédiatement renseignés sur lui... nous avons su tout de suite à quelle organisation il appartenait, de quel gouvernement il dépendait... savoir ce qu'il désirait était chose aisée...

— Vous êtes arrivés à temps.

— Nous étions là depuis plusieurs minutes

déjà... nous avons entendu presque toute votre conversation.

— Mais alors pourquoi n'êtes-vous pas...

— Intervenus ? Nous l'aurions fait... Si nous t'avons laissé faire c'est que nous voulions savoir si tu tuerais deux des tiens par amour de l'une des nôtres...

— Comment avez-vous pu en douter ? Je recommencerais s'il le fallait !

— Talma va venir avec nous, nous allons la ramener à Sod.

— Pas sans lui, souffla Talma.

— Emmenez-la, je vous en supplie, emmenez-la... je veux qu'elle vive !

— Tu consens à la laisser partir ? A rester seul... à ne jamais la revoir ?

— Je consens à tout... pourvu qu'elle vive, dit Jacques, les yeux embués de larmes.

— Oh ! Jacques, je ne veux pas te quitter, gémit la jeune femme.

— Il le faut, mon amour... je veux que tu guérisses.

— Mais mon chéri, que m'importe de guérir, que m'importe de vivre s'il faut vivre sans toi... je ne pourrais pas, je ne le veux pas !

Talma avait passé ses bras autour du cou de Jacques et sanglotait doucement sur son épaule. Doucement Zaken s'était éloigné, les Bahalim l'avaient rejoint et une discussion animée commença entre eux. Quelques instants plus tard Zaken revint vers eux.

— Talma !

— Oui, Père, je t'écoute, dit la jeune femme en tentant de dissimuler ses larmes.

— Et toi, Jacques, approche. Nous venons de parler nos Frères et moi. Tous sont d'accord, nous ne pouvons déroger à nos lois.

— Mais, Père...

— Laisse-moi continuer Talma, sourit Zaken. Il nous est impossible d'accepter qu'un homme de la surface vive parmi nous... Tôt ou tard ce qui est arrivé recommencerait...

— Ce n'est pas lui qui a voulu quitter Sod... c'est moi... vous m'aviez rejetée...

— Nous t'avions mise à l'épreuve... mais le résultat est le même, que l'initiative ait été prise par toi ou par lui, l'existence de Tatimie, des Altahiens et des Benhasout a été mise en péril... mais laisse-moi terminer... Si un homme ne peut être accepté à Sod il n'en serait pas de même si Jacques était un Altahien.

— Mais c'est impossible.

— Il y a une solution : il peut le devenir... il y a la machine de l'oubli.

— Oh ! Père... jamais je n'accepterai.

— C'est la seule issue possible... le Conseil n'acceptera sa présence qu'à cette condition...

— N'a-t-il point assez prouvé qu'il m'aimait ? Son attitude depuis notre départ et tout à l'heure encore, tu as entendu comme moi ce qu'il a répondu à Storg... Je suis certaine que Jacques ne fera jamais rien qui puisse nous nuire...

— Moi aussi, Talma... mais le Conseil n'acceptera jamais. Quant à l'ordinateur, je connais d'avance sa décision... Crois-moi, mon enfant, c'est la seule solution...

— De quoi s'agit-il, Talma ? Explique-moi ; je ne veux pas te quitter et s'il me reste la moindre chance de vivre à tes côtés, je suis prêt à la saisir, j'accepterai n'importe quoi !

— Jacques, je ne peux pas, je ne dois pas te demander un tel sacrifice...

— Explique-moi, je t'en prie...

— La machine de l'oubli c'est... c'est une sorte de lavage de cerveau qui t'attend, Jacques... Tu oublieras ce que tu as été... elle te donnera de « nouveaux souvenirs » car nous savons que les souvenirs sont nécessaires à l'existence de l'homme... Je ne dois pas te mentir, Jacques... Tu ne seras plus jamais Jacques Dol... tu seras un Altahien... un Bahal...

— Mais, Talma, les seuls souvenirs auxquels je tienne sont ceux que nous avons tous les deux... je n'ai pas vécu avant toi et je ne pourrai vivre sans toi... J'accepte, Talma...

— Jacques !

— Je t'en prie, Talma... je ne regrette rien je te le jure. Zaken, si vous le voulez toujours, je choisis d'être l'un des vôtres...

— Allons, allons ! fit Zaken, d'un ton qu'il s'efforçait de rendre ferme mais que l'émotion déformait... Nettoyez-moi tout cela, ordonnat-il et tournant les talons il se dirigea vers la plage, vers l'appareil qui attendait...

***

Deux des Altahiens dégainèrent leur désintégrateur. Quelques instants plus tard il ne restait plus rien ni des corps, ni des « documents » ni de la voiture, ni de la maison... rien qu'un peu de poussière noire que le vent eut tôt fait de disperser... Les deux hommes rejoignirent leurs frères.

***

Quelques heures plus tard Jacques s'asseyait sur le siège de la « machine de l'oubli ». Sans un tremblement il se coiffa du casque. Talma debout à ses côtés, le regardait intensément, un amour illuminait son regard.

— Jacques... tu peux encore...

— Ne dis rien, mon amour, je n'appartiens plus au monde que j'ai connu... et je t'aime.

D'un geste sec il enclencha lui-même la touche et ferma les yeux... tout son passé défila devant lui, il se sentit pris dans le tourbillon éternel du temps, un immense apaisement l'envahit.

Il n'était plus cet « animal » contre lequel son subconscient se révoltait. Il se sentait pris d'un intense désir de protection, d'un besoin d'amour et de repos qu'il ignorait jusqu'à ce jour...

Au travers de la vaste coupole le ciel lointain lui

apparut, irréel, inexistant. Il n'était plus un homme... il avait choisi son destin.

***

Dans le temple du petit village d'Edena où Jacques avait vécu quelques jours, une voix résonna. Elle apportait aux Edeniens le salut des Bahalim.

Kol et Icha reconnurent la voix de leur ami. Ils surent alors qu'un Bahal les avait visités et les avait mis à l'épreuve...

... La foi des Benhasout en fut renforcée !

FIN

DÉJA PARUS DANS LA MÊME COLLECTION

751.	*L'an 22704 des Wans*	Gabriel Jan
752.	*L'être polyvalent*	Georges Murcie
753.	*Les germes de l'infini*	M.-A. Rayjean
754.	*Le manuscrit*	Daniel Piret
755.	*Black planet*	Ch. Mantey
756.	*Ambassade galactique*	Pierre Barbet
757.	*Elteor*	Peter Randa
758.	*Miroirs d'univers*	Maurice Limat
759.	*Il était une voile parmi les étoiles*	J. et D. Le May
760.	*La planète suppliciée*	Robert Clauzel
761.	*Sogol*	Daniel Piret
762.	*La déroute des Droufs*	K.-H. Scheer et Clark Darlton
763.	*Le cylindre d'épouvante*	Robert Clauzel
764.	*La planète des normes*	Jan de Fast
765.	*La révolte de Zarnou*	Georges Murcie
766.	*Enfants d'univers*	Gabriel Jan
767.	*La croix des décastés*	Gilles Thomas
768.	*Cap sur la Terre*	Maurice Limat
769.	*Le général des Galaxies*	Jean Mazarin
770	*Un pas de trop vers les étoiles*	Jan de Fast
771.	*Démonia, planète maudite*	P. Legay
772.	*La mort en billes*	Gilles Thomas
773.	*Déjà presque la fin*	Richard-Bessière
774.	*Rhodan renie Rhodan*	K.-H. Scheer et Clark Darlton
775.	*Les brumes du Sagittaire*	Frank Dartal
776.	*La planète folle*	P.-J. Hérault
777.	*L'étoile Regatonne*	J. et D. Le May
778.	*Les irréels*	M.-A. Rayjean
779.	*La lumière de Thot*	Jimmy Guieu
780.	*L'immortel et les invisibles*	K.-H. Scheer et Clark Darlton
781.	*Xurantar*	Daniel Piret
782.	*Involution interdite*	Jan de Fast
783.	*Le non-être*	Georges Murcie
784.	*Le ciel sous la terre*	Robert Clauzel
785.	*Défi dans l'uniformité*	J. et D. Le May

786. *Maloa* — Gabriel Jan
787. *Les arches de Noé* — Peter Randa
788. *Quand elles viendront* — Chris Burger
789. *Les diablesses de Qiwâm* — Maurice Limat
790. *Un fils pour la lignée* — Jean Mazarin
791. *Mondes en dérive* — Jan de Fast
792. *Les métamorphosés de Moluk* — K.-H Scheer et Clark Darlton
793. *Pari Egar* — Georges Murcie
794. *Le secret des initiés* — J.-P. Garen
795. *Le sursis d'Hypnos* — Piet Legay
796. *Les métamorphosés de Spalla* — M.-A. Rayjean
797. *La cité au bout de l'espace* — P. Suragne
798. *Commando H.C. 9* — K.-H. Scheer et Clark Darlton
799. *Les couloirs de translation* — Peter Randa
800. *L'œuf d'antimatière* — Robert Clauzel
801. *Les robots de Xaar* — Gabriel Jan
802. *Les légions de Bartzouk* — Jimmy Guieu
803. *La tour des nuages* — Maurice Limat
804. *La mort des Dieux* — Daniel Piret
805. *Au-delà des trouées noires* — Dan Dastier
806. *Le temps des autres* — Chris Burger
807. *Les neuf Dieux de l'espace* — Frank Dartal
808. *Les esclaves de Thô* — Jan de Fast
809. *Cette machine est folle* — Richard Bessière
810. *L'Arche aux Dieux* — K.-H. Scheer et Clark Darlton
811. *Dal' Nim* — J. et D. Le May
812. *La courte éternité d'Hervé Girard* — Georges Murcie

VIENT DE PARAITRE :

J.-P. Garen — *Opération Epsilón*

A PARAITRE :

Peter Randa — *Le cycle des Algoans*

ACHEVÉ D'IMPRIMER LE
20 JUILLET 1977 SUR LES
PRESSES DE L'IMPRIMERIE
BUSSIÈRE, SAINT-AMAND (CHER)

— N° d'impression : 719. —
Dépôt légal : 4ᵉ trimestre 1977

Imprimé en France

PUBLICATION MENSUELLE